LE CERVEAU

DOMINOS
Collection dirigée par Michel Serres
et Nayla Farouki

JACQUES-MICHEL ROBERT

LE CERVEAU

Un exposé pour comprendre
Un essai pour réfléchir

Jacques-Michel Robert. Médecin des Hôpitaux de Lyon, Jacques-Michel Robert est chef du service de génétique de l'Hôtel-Dieu depuis 1964, titulaire de la chaire de génétique médicale de la faculté de médecine de Lyon depuis 1970.
Avec ses collaborateurs et élèves, il a pu rassembler en trente années la plus importante expérience européenne actuelle dans le domaine du conseil génétique.
Il est avant tout un enseignant s'adaptant constamment aux progrès de cette discipline.
Étant de formation neurologique, le domaine particulier dans lequel il enseigne désormais est la neurogénétique. Les connaissances en neurologie et en génétique ont évolué simultanément. La synthèse de leurs liens a été son objectif pour réaliser cet ouvrage.

Ses principales publications sont :

Éléments de génétique médicale, Simep, 1968.
L'Hérédité et les maladies génétiques de l'enfant, ESF, 1971.
L'Hérédité racontée aux parents, Le Seuil, 1978.
Comprendre notre cerveau, Le Seuil, 1982.
Génétique, de la biologie à la clinique, Flammarion, 1983.
L'Aventure des neurones, Le Seuil, 1994.

© Flammarion 1994
ISBN : 2-08-035162-1
Imprimé en France

Sommaire

La première fois qu'apparaît un mot relevant d'un vocabulaire spécialisé, explicité dans le glossaire, il est suivi d'un *

Coupe frontale et coupe en perspective latérale gauche du cerveau.
Ces vues sont très schématisées, afin de rendre plus distinctes les différentes structures décrites dans le texte.
On remarque le corps calleux, composé d'un très grand nombre de fibres nerveuses, qui réunit les deux hémisphères.

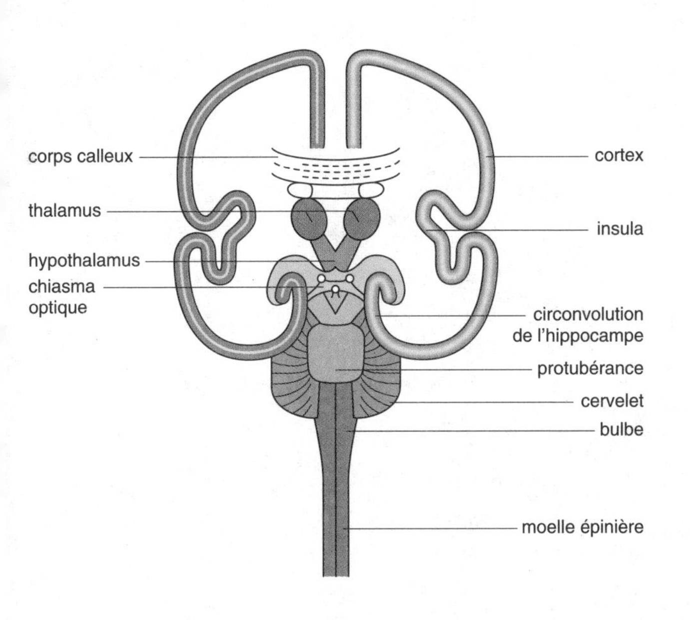
corps calleux
thalamus
hypothalamus
chiasma
optique
cortex
insula
circonvolution
de l'hippocampe
protubérance
cervelet
bulbe
moelle épinière

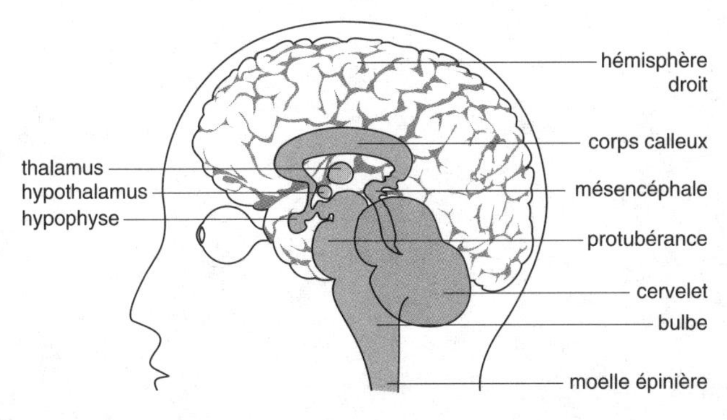
hémisphère
droit
corps calleux
thalamus
hypothalamus
hypophyse
mésencéphale
protubérance
cervelet
bulbe
moelle épinière

Let me see. (He takes the skull.)
Alas, poor Yorick! I knew him, a fellow of infinite jest,
of most excellent fancy. Here hung those lips
that I have kissed, I know not how oft.
That skull had a tongue in it, and could sing once!

« Laisse-moi regarder. *(Il saisit le crâne.)*
Hélas, pauvre Yorick! Je l'ai connu esprit
d'une verve prodigieuse et d'une fantaisie infinie.
Ici étaient ses lèvres que j'ai embrassées si souvent.
Ce crâne soutenait en lui une langue,
qui pourrait chanter encore! »

Hamlet, acte V, scène I.

Avant-propos

Le prince manipule le crâne exhumé de son bouffon et se souvient. La boîte maintenant vide a contenu un cerveau.

Soupeser, observer un cerveau humain retiré du formol ou d'un congélateur provoque admiration et questions. D'abord, il est lourd, très lourd. Il n'est pas dans notre corps d'organe plus dense. Au creux de ses replis tassés, blanchâtres, subsiste la trace de l'être qu'il anima, de ce qu'il a vu, entendu, pensé, de ce qui l'a ému, troublé, bouleversé parfois, tout ce que fut la vie d'un enfant, d'un adolescent ou d'un être mûr, ses hésitations et ses choix, ses amours et ses haines, ses préjugés et ses projets. Alors qu'un rein de vertébré n'est à tout prendre qu'un filtre, le foie qu'une usine, le poumon qu'un soufflet et le cœur seulement une poche aux battements rythmés.

Étude de la vascularisation cérébrale.
Ce cliché représente le système veineux de retour, en dessinant son réseau.
Ph. © GJLP / CNRI.

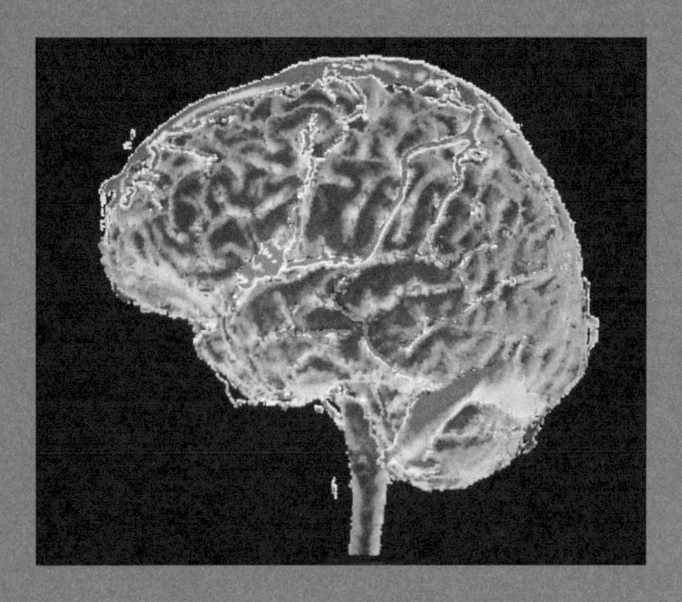

Le cerveau, comment ?

De la pirogue au paquebot

Il était un fleuve qui charriait vers la mer des troncs d'arbres arrachés par les tempêtes. Des êtres s'en saisirent et les enfourchèrent pour se laisser glisser vers l'aval, gagner du temps grâce aux courants, économiser leur effort. En les évidant pour moitié, aux âges lacustres, ils apprirent à se placer l'un derrière l'autre et à ramer en cadence. Plus tard, la pirogue eut un balancier pour parer au chavirement. Le gouvernail lui évita de perdre le cap. Le bon vent fit naître les voiles. L'hélice inaugura la course à la puissance thermique, électrique, nucléaire, toutes chaudières gavées. On choisit des guetteurs pour observer, écouter, rester vigilants d'un quart à l'autre, se relayant entre des sommeils peuplés de rêves. Bien avant que soient inventés radars et sonars, la lorgnette sut déchiffrer les signaux optiques et le langage multicolore des fanions. Le pont de la dunette devint, au cours des siècles, le centre de convergence des informations importantes, le lieu où le pacha prit ses décisions sans appel, usant de son expérience et de sa volonté.

Étape après étape, de pirogue en paquebot, ces vaisseaux-là sont nés de l'ingéniosité des hommes. La nature leur offrait les matériaux les mieux adaptés, mais elle fut, elle est encore, impitoyable aux bâtiments mal conçus. Au mieux, ils restent sous l'aspect de leur figure première, hors de la marche de l'évolution.

Ainsi par exemple en va-t-il des myriapodes. Les myriapodes sont des invertébrés dont l'origine se perd dans la nuit des temps. Pire, ils sont mal nommés : *murias*, en grec, signifie « dix mille », et *podes*, « pieds », donc « dix mille pieds ». L'appellation commune du plus connu d'entre eux est celle du « mille-pattes ». Or, dans la réalité, chacun des vingt et un anneaux qui le composent supporte une paire de pattes : soit en tout et pour tout quarante-deux pattes. On est loin du compte, mais l'image est restée.

Un cordon nerveux ventral unique relie entre eux vingt et un ganglions moteurs placés en file indienne, anneau après anneau, de l'avant vers l'arrière. Et la conséquence, déjà, paraît extraordinaire pour l'époque (l'ère primaire). La coordination motrice est parfaite : lorsqu'on soulève la pierre sous laquelle il s'abrite, l'animal s'enfuit prestement.

Son enveloppe extérieure est composée de chitine, substance de soutien chimique, caractéristique de leur carapace. A l'avant, le « crâne » porte les capteurs principaux, notamment les yeux et les antennes, et contient, regroupés, les ganglions nerveux récepteurs de sensations ou émetteurs d'ordres. Mais rien n'évoque un cerveau au sens où on doit l'entendre. Un invertébré

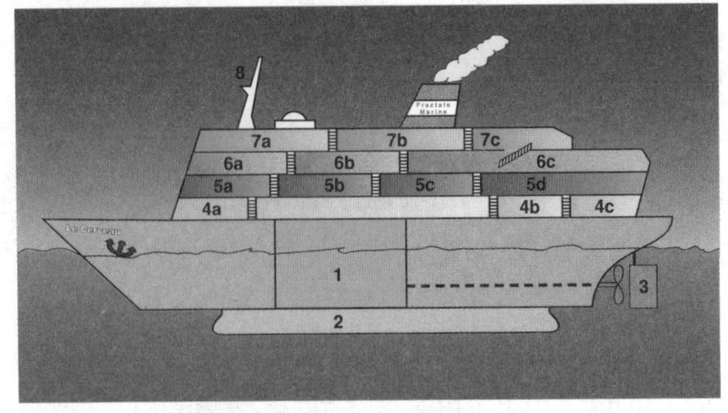

1. Bulbe rachidien : fonctions vitales
2. Voies vestibulaires : stabilité
3. Cervelet : rôle directionnel
4. Tronc cérébral (mésencéphale) : (a) vigilance
(b) sommeil
(c) rêve

5. Hypothalamus : (a) régulation thermique
(b) régulation de la faim
(c) régulation de la soif
(d) régulation sexuelle

6. Cerveau limbique : (a) apprentissage
(b) humeur
(c) mémoire

7. Cortex cérébral : (a) décision
(b) jugement
(c) raisonnement

8. Organes des sens : recueil des informations

Coupe longitudinale d'un paquebot.
Cette coupe montre les différents « ponts » et structures du navire, à comparer avec les différents étages qui forment le cerveau humain.

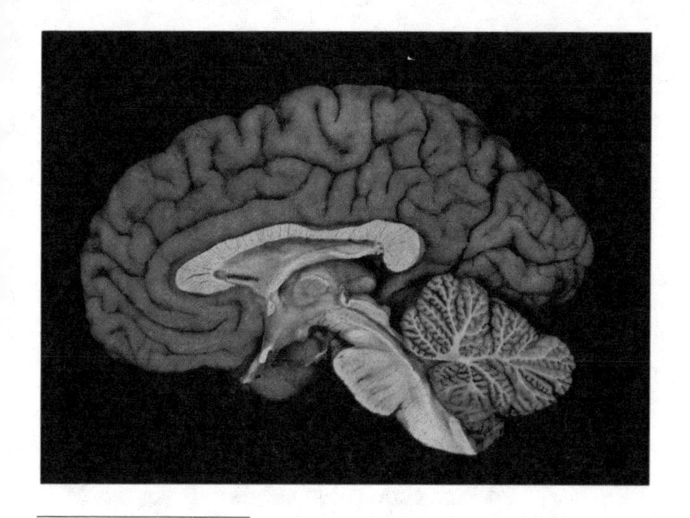

Coupe longitudinale d'un encéphale humain.
Vue de la face interne d'un cerveau droit. Sont visibles, de haut en bas : une partie des circonvolutions, le système limbique, les pédoncules, le bulbe et la protubérance annulaire. En arrière et en bas, le cervelet.
Ph. © Dr Colin Chumbley / SPL / Cosmos.

n'a pas de cerveau. Certes, dans son enveloppe crânienne, des interneurones relient les ganglions entre eux. Un influx nerveux leur parvient, son retour gagne la périphérie : les réflexes primaires de la vie et de la survie s'installent. Un invertébré peut nous étonner. Mais jamais il n'inventa la poudre.

Les structures

Disposer d'un vrai cerveau est le privilège des vertébrés. Chez les plus anciens d'entre eux, le long de leur dos, et non plus le long de leur ventre comme chez l'invertébré, se développe, née du revêtement extérieur, une structure neurale qui deviendra très vite sillon neural* puis tube neural*. Une dilatation vers l'avant de cette structure, à l'égal de celle que crée le souffle d'un verrier, va squatter un neurocrâne cartilagineux ou osseux, à l'origine bien trop vaste pour elle. Mais les temps viendront où l'occupant prendra toute la place disponible. Ce petit fossile vivant, ancêtre des vertébrés, qu'est l'amphioxus, n'a apparemment ni queue ni tête. Toutefois, vers l'avant où s'ouvre la bouche et où scintillent les cellules photoréceptrices, l'ampoule neurale* s'est insinuée. Le tissu « cérébral » ne comporte qu'une seule couche de cellules, mais cette couche-là est le premier cerveau du monde (ou l'un de ses cousins). Ses performances sont limitées mais elles sont, à l'origine, les nôtres.

Strate après strate, chez les vertébrés disparus ou encore contemporains, poissons, amphibiens, reptiles,

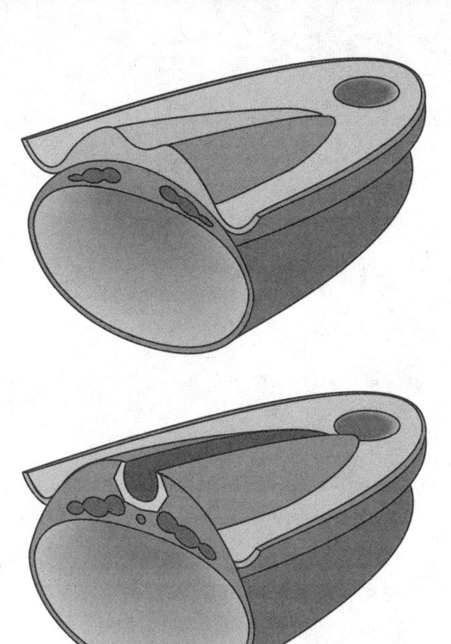

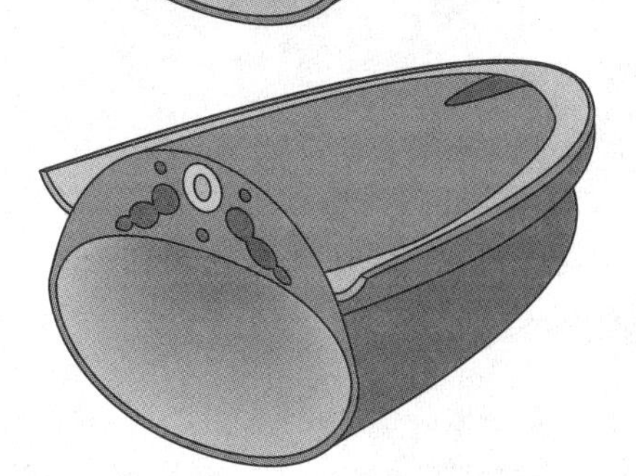

Source : Pr Jean-Louis Laurent

Développement du sillon, puis du tube neural.
Au vingt-huitième jour après la conception, le tube est entièrement fermé, y compris à ses extrémités. Son extrémité « avant » constitue l'ampoule neurale qui conduira à la formation du cerveau.

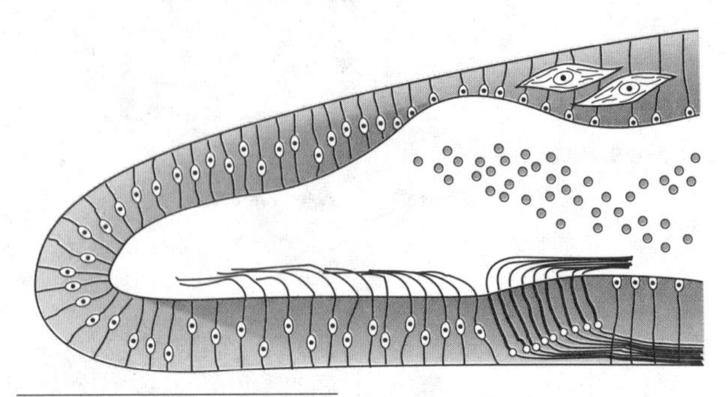

Cerveau d'un amphioxus. *Au cours des temps, cet animal est un premier essai de vertébré. Le cerveau ne dispose que d'une seule couche cellulaire. L'extrémité « avant » est remplie de liquide et certaines cellules comportent un cil.*

mammifères, le cerveau est complété. Et n'en déplaise aux faux modestes, le cerveau humain se trouvera bel et bien en haut de l'échelle, solidement installé.

Encephalon, l'« encéphale », c'est en quelque sorte tout ce qui peut entrer « dans la tête » d'un vertébré : cerveau, mais aussi cervelet* et bulbe rachidien*. La moelle épinière* en reste exclue, par convention.

Le bulbe qui surmonte la moelle est le centre de la vie : il contrôle la pression artérielle, règle les mouvements respiratoires, la déglutition. Avant l'invention de son vaccin, la poliomyélite tuait souvent par l'ascension rapide du virus de la moelle vers les centres bulbaires. La mort inopinée du nourrisson, tragédie chez cet être qui, dit-on, « oublie de respirer », est probablement, du moins dans la majorité des cas, d'origine bulbaire.

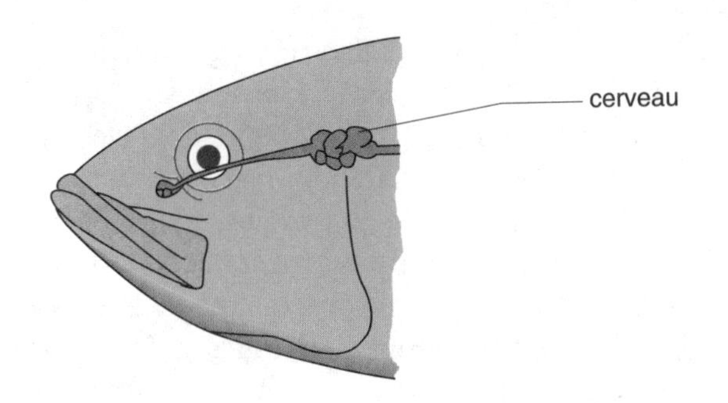

Le grain de riz dans la cathédrale. *Cette coupe longitudinale du cerveau d'un poisson (une perche) nous révèle un cerveau très primitif, mais disposé dans une cavité crânienne comparativement très vaste.*

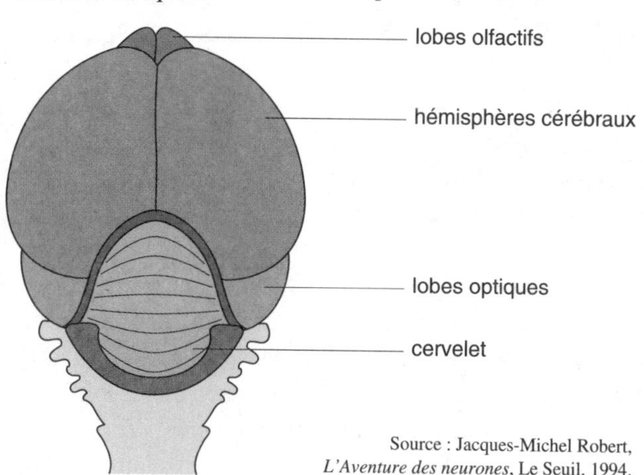

Source : Jacques-Michel Robert, *L'Aventure des neurones*, Le Seuil, 1994.

Vue dorsale de l'encéphale d'un oiseau. *Le cervelet de l'oiseau, ici un pigeon, est très volumineux, aux dépens des hémisphères cérébraux et surtout des lobes olfactifs : à quelques exceptions près, les oiseaux n'ont pas d'odorat.*

Un bateau ivre, sans balancier ni gouvernail, ira se déchirer sur les récifs ou s'échouer sur la grève. Comme cet homme qui, sous l'empire d'un alcoolisme aigu, titube, tournoie, s'effondre parce que son cervelet a été la première cible du toxique. Tout près de cet organe, les neurones qui gouvernent, à coups de molécules chimiques, le rythme programmé de la vigilance et du sommeil ne resteront pas indifférents non plus.

Plus haut encore, le tronc cérébral* se scinde pour pénétrer à gauche et à droite dans la profondeur des hémisphères cérébraux correspondants. Là réside le cerveau, au vrai sens de ce terme.

Un tour de marché nous en apprendra presque autant : fendez en deux dans le sens de la longueur la tête d'un poisson puis celle d'un canard, et terminez par l'achat d'une « cervelle » de mouton. Sous l'arcature osseuse ou cartilagineuse de la voûte crânienne du premier, qui soutient fortement (surtout s'il est carnivore) une mâchoire aux dents acérées, vous ne trouverez rien ou presque rien : quelques grains blanchâtres avec beaucoup de vide autour. Promenez votre pouce le long de la voûte crânienne de l'oiseau avant d'ouvrir celle-ci. Elle fait saillie. Au-dessous, vous mettez au jour un organe assez volumineux. Le cerveau ? Non pas. Mais un cervelet de bonne taille, preuve s'il en était besoin que le volatile est capable de bien d'autres performances que tout autre vertébré dans le domaine du vol, de l'équilibre tournoyant, du cap à suivre et, qui sait, des migrations éventuelles. En avant de lui, minuscule, aplati, minable, quasiment dépourvu d'écorce, le cerveau de l'animal est présent. Cervelle d'oiseau. Le cerveau d'un mouton, avec ses hémisphères bien séparés, n'est pas un modèle d'achèvement. Mais il coûte peu. On le trouve facilement. Il n'ira guère plus loin dans l'histoire du système nerveux. Mais on est déjà bien au-delà de l'amphioxus. Dépouillé de ses méninges, le cerveau du mouton révèle à l'évidence le dessin de ses circonvolutions *(gyrus)* séparées par des sillons *(sulcus)*. Les cerveaux de tous les mammifères sont, comme lui, entièrement « corticalisés ». Les neurones gris de leur cortex* se sont divisés en un certain nombre puis ont noué entre eux tant de liens que pour être contenus dans la boîte il leur a fallu composer avec l'espace qui leur était désormais offert.

Déjà, les reptiles ébauchent un semblant de fontanelles*. Que sont-elles ? *Fontanella*, les « petites fontaines », baptisées ainsi par Ambroise Paré qui le premier les remarqua. Il les décrivit en palpant le crâne d'un nourrisson mort et constata que seul un fragile rempart abritait le liquide céphalo-rachidien*.

Chez le petit de l'homme, la dépression la plus marquante s'étale de la racine du nez au sommet du crâne. Elle se comble peu à peu vers l'âge de trois mois, et tout au long des mois qui suivent l'ossification des autres fontanelles s'achève. Naître sans fontanelles est un handicap grave. On parle de « craniosténose », souvent d'origine génétique, donc héréditairement transmise : le cerveau est prisonnier de sa cage inextensible, le déficit intellectuel est important et les nerfs optiques sont comprimés. La cécité surviendra. Seul un neurochirurgien tôt alerté peut libérer les sutures fermées en créant artificiellement des brèches entre

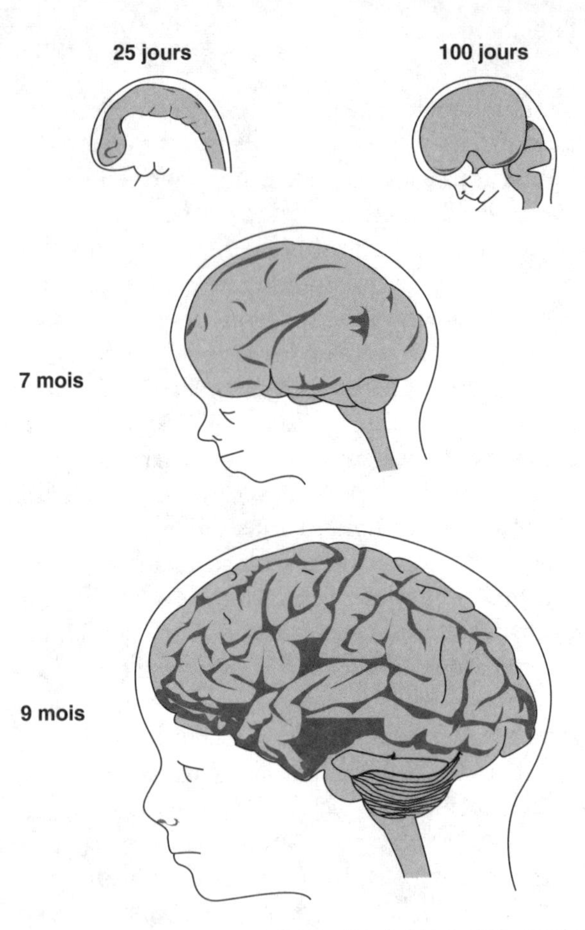

Source : *Pour la Science*, n° 25, novembre 1979.

Évolution du cerveau fœtal.
L'échelle des grandeurs n'est pas ici respectée. L'ébauche du cerveau n'est pas encore visible au vingt-cinquième jour. La scissure sylvienne apparaît à partir de sept mois, puis des circonvolutions et des sillons à neuf mois. A cet âge, le poids du cerveau du nouveau-né représente le quart du poids total d'un cerveau d'adulte.

les plaques osseuses de la voûte. L'expansion du cerveau, ce prestigieux chou-fleur, peut alors reprendre, et promettre un intellect normal et une vision sauvegardée.

Les chiffres parlent d'eux-mêmes. Si l'on compare le poids du cerveau d'un enfant au poids de celui d'un adulte, le résultat est le suivant : à la naissance il est de un quart (pour un poids corporel moyen vingt fois moindre) ; à l'âge de six mois, il est de la moitié ; à l'âge de deux ans, de 80 %.

Mesuré avec un ruban centimétrique de couturière, le périmètre crânien d'un nouveau-né normal moyen à terme est de 34 cm. Celui d'un adulte varie entre 56 et 60 cm. Les chapeliers et les sous-officiers responsables de l'habillement et de l'équipement des recrues le savent depuis longtemps.

Le bulbe : la chambre des machines

Le bulbe, c'est la vie. Non qu'il en soit l'élément suffisant, mais indispensable, il l'est à coup sûr. Des générations de bacheliers ont appris l'existence du « nœud vital* » de Flourens (1794-1867, successeur de Cuvier au Collège de France). Si l'on pique au moyen d'une longue aiguille le haut de la nuque d'un chien, celui-ci tombe raide mort. C'est aussi, je crois, l'explication du sort final des taureaux épuisés dans l'arène, et du meurtre discret de certaines des victimes d'Agatha Christie dans quelques-uns de ses romans.

En effet, c'est le bulbe, indépendamment des ordres venus de plus haut que lui, qui assure à lui seul trois fonctions. La première est la régulation du rythme respiratoire, avec un centre nerveux pour l'inspiration, un autre pour l'expiration. La structure est archaïque mais son intégrité est nécessaire pour soutenir l'espoir de récupérer un accidenté de la route comateux aux impressionnantes pauses respiratoires suivies par de bruyantes reprises. En moins grave, parlons des grands ronfleurs qui font chambre à part : l'enregistrement de leurs nuits agitées révèle qu'ils sont en apnée parfois largement plus d'une minute avant que leur bulbe ne s'inquiète et n'ordonne impérieusement, vu l'urgence, la reprise immédiate d'une inspiration. Chez ces patients le plus souvent d'âge mûr et de sexe masculin, l'apport d'une oxygénation nocturne permanente avec masque et bouteille, la conjointe dût-elle abandonner la couche, est nécessaire si l'on veut éviter l'insuffisance vasculaire cérébrale, source des accidents que l'on sait, notamment l'hémiplégie brutale. La deuxième fonction du bulbe est le maintien de la rythmicité cardiaque avec un centre pour l'accélération et un centre pour l'inhibition (c'est-à-dire le ralentissement des battements), qui transmettent leurs ordres par les nerfs vagues dits encore « pneumogastriques ». Chez certains sujets, la forte compression des globes oculaires avec les doigts peut entraîner une syncope cardiaque avec arrêt momentané des pulsations. Le réflexe « oculo-cardiaque » transite par le bulbe. La troisième fonction du bulbe est de maintenir constante la pression artérielle. Le bulbe contient les centres dont les ordres produisent la contraction (vasoconstriction) ou le relâchement (vasodilatation) des muscles lisses des petites artères. Avertis par des capteurs sensibles à la pression artérielle, situés contre la paroi des carotides, ces centres ajustent en temps réel cette pression qui doit perfuser correctement le cerveau et nous éviter éblouissements, voire syncopes transitoires lorsque nous passons trop vite de la station couchée à la station debout.

Le cervelet : la quille et le gouvernail

Le cervelet repose au fond de la base du crâne, au-dessous et en arrière du cerveau, dans ce que les anatomistes dénomment la fosse cérébrale postérieure.

Branché directement sur les canaux semi-circulaires du « vestibule » de l'oreille interne orientés selon les trois dimensions de l'espace, le cervelet analyse en permanence la position du corps, que les yeux soient ouverts ou fermés. Ce que l'on nomme l'orage vestibulaire, dont les causes peuvent être innombrables, provoque les grands vertiges décrits par Prosper Ménière (1801-1862). Ils ne tuent pas. Mais, chez l'adulte qui en souffre brusquement, ils restent dans son souvenir comme ceux de tempêtes et de mal de mer avec des murs qui tournent, des meubles qui dansent, et des nausées ou vomissements qui marquent parfois la fin provisoire de ces épisodes cruels, au grand soulagement du patient épouvanté.

Le cervelet offre à l'organisme les neurones qui lui sont nécessaires pour se redresser. Le jeune enfant apprend à lutter contre la pesanteur, à se mettre debout et à marcher autrement qu'à quatre pattes.

Après quelques inévitables essais suivis de chutes, la performance vient vers l'âge de un an. Un enfant qui ne marche pas seul à deux ans souffre d'un trouble sérieux du tonus musculaire dont l'origine peut être dans le cervelet.

Enfin, le cervelet est le centre de coordination automatique des mouvements volontaires : battre la mesure avec le pied, boire dans un verre, marcher, faire les marionnettes, sont des manœuvres en réalité fort complexes. Le cervelet des mammifères module tout mouvement initié par le cortex cérébral. Il en mesure la production, en apprécie l'impact et régule l'ensemble jusqu'à son achèvement correctement accompli. L'atteinte de cette fonction particulière se traduit par un tremblement qu'on dit cérébelleux, lié à un trouble de la continuité de la contraction des muscles impliqués dans l'acte volontaire. Le patient rate la cible (le bout de son nez par exemple), rate la mèche de la bougie qu'on lui demande d'allumer, un verre qu'on lui dit de saisir. Sa démarche est celle d'un homme ivre. L'émission vocale et l'écriture sont altérées et remarquées par l'entourage.

Le mésencéphale : la vigie

On a pris longtemps le mésencéphale*, cet « encéphale du milieu », pour un simple lieu de passage entre le bulbe et les hémisphères. Il l'est en fait : des fibres par milliards (les axones*) quittent le cortex cérébral pour emporter les ordres de mouvements. D'autres, de courant inverse, le rejoignent pour l'informer des sensations tactiles, thermiques, douloureuses, venues du corps tout entier. Mais au sein de ces câbles précieux, l'étude anatomique de ces régions révèle l'existence de centres d'une grande importance.

Le mésencéphale abrite les centres de la poursuite oculaire. Normalement, on ne louche pas, et même en ce cas le strabisme est lié le plus souvent à un désordre des muscles oculaires qu'une intervention chirurgicale ou une rééducation par un orthoptiste guérira. Poursuivre du regard un oiseau, un avion, est bien autrement complexe et met en jeu des milliers de neurones régulant un attelage oculaire parfait. A l'inverse, au cours du coma créé par un traumatisme crânien ou une encéphalite, on peut découvrir en soulevant les paupières le « détèlement » oculaire, c'est-à-dire la paralysie des nerfs oculaires, comme si un attelage de deux chevaux se brisait, chaque animal courant dans une direction différente. Ce signe témoigne d'une atteinte sérieuse du mésencéphale.

Cette machine à trois temps que constituent les centres de la vigilance, du sommeil et du rêve fonctionne grâce à une longue coulée de cellules et de fibres appartenant à la formation réticulée* (« en forme de filet ») reliant bulbe et protubérance* aux noyaux du mésencéphale. Un homme qui se couche le soir venu perd sa vigilance, s'assoupit et sombre assez vite dans un premier sommeil de quatre-vingt-dix minutes environ. Puis il rêve pendant une vingtaine de minutes et ainsi de suite jusqu'à son retour matinal à la vigilance. Le rêveur a les yeux entrouverts, ses globes oculaires sont animés de mouvements incessants. Son tonus musculaire se relâche. Il dort très profondément mais peut être agité de mouvements de la face (ébauche de sourire ou de grimace). Si on l'éveille brusquement, le rêveur saisi en plein « sommeil paradoxal » (comme l'a baptisé Michel Jouvet) est généralement capable de raconter le rêve qu'il vient de vivre.

Les centres de régulation du tonus et des mouvements constituent un troisième ensemble de grande importance. Une section totale des pédoncules* cérébraux au-dessus des noyaux rouges*, qu'elle soit accidentelle ou, chez l'animal, expérimentale, entraîne aussitôt une « rigidité de décérébration ». L'atteinte des neurones très particuliers de la substance noire* est à l'origine de la maladie de Parkinson : le patient est comme statufié, sa démarche les bras soudés au corps est de plus en plus gênée. Il tremble d'une façon très particulière, ses doigts semblent émietter du pain, ou compter des pièces de monnaie, ses pieds lorsqu'il est assis imitent des mouvements de pédalage. L'atteinte des noyaux caudés*, placés nettement plus haut, crée la chorée héréditaire de Huntington : des mouvements anormaux que le patient ne peut réprimer entravent la marche. On dirait qu'il danse maladroitement (d'où le qualificatif de mouvements « choréiques », de *khorein*, « danser »).

L'hypothalamus : le grand maître des régulations vitales

Le diencéphale* contient tous les éléments nécessaires à ces rôles multiples : un standard miniaturisé qui

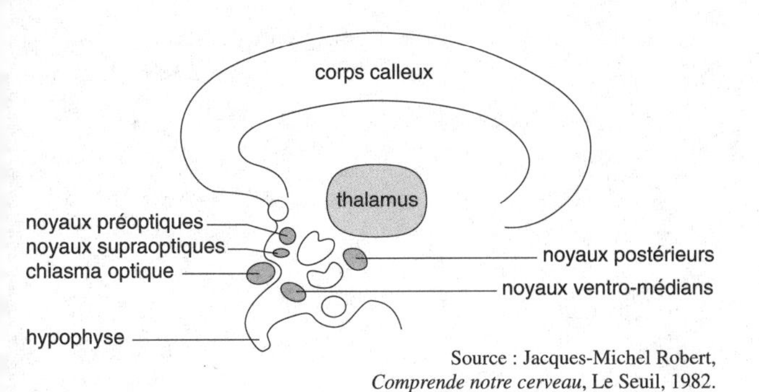

Source : Jacques-Michel Robert, *Comprende notre cerveau*, Le Seuil, 1982.

Coupe schématique d'un diencéphale humain.
Nous pouvons noter, sur cette coupe très schématique, la disposition des différents noyaux à l'origine des fonctions de cette structure : les noyaux supra-optiques (soif), le noyau centro-médian (appétit et satiété), les noyaux postérieurs (sexualité et reproduction). Chez les mammifères et les oiseaux apparaissent les noyaux préoptiques (centre de la régulation thermique).

reçoit toutes les sensations, les regroupe, les trie et les adresse pour analyse au cortex cérébral, le thalamus* ; une horloge haut placée le surplombe, responsable des rythmes biologiques, de l'humeur notamment, changeante au gré du ciel, de la lumière, du temps et des saisons, l'épiphyse*. Descartes y plaçait (à tort) le siège de l'âme, parce qu'il s'agit d'un organe unique situé anatomiquement tout en haut de l'encéphale. Le grand maître des régulations vitales lui-même, l'hypothalamus* est situé sous le thalamus, comme son nom l'indique. Il occupe une surface très réduite malgré ses immenses responsabilités (le neurochirurgien Harvey Cushing disait qu'on pouvait le cacher sous l'ongle de son pouce). Pourtant, avec l'hypophyse* qui lui est appendue, un « complexe hypothalamo-hypophysaire » va déverser, la vie durant, des flots d'hormones (du grec *hormân*, « exciter ») dans le courant sanguin. Leur rôle est de réguler la sécrétion des cellules des glandes endocrines périphériques (pancréas endocrine, thyroïde, surrénales, ovaires, testicules, etc.). Le coup d'accélération est-il trop puissant ou trop prolongé ? La glande lointaine crie sa détresse, essaie de freiner ces ordres dangereux sous peine d'être épuisée, vidée, et d'en mourir. A l'inverse, si la commande centrale est défaillante, la glande agira en conséquence : les dosages hormonaux, au nanogramme près, nous ont appris ces lois de la biocybernétique. Un rétrocontrôle sensible au taux des hormones circulantes peut en permanence augmenter, réduire ou stopper l'activité de cette aire de l'hypothalamus qui est régularisée, normalisée.

Ainsi, dès cet étage, tout est en place pour que le cœur batte et que les poumons respirent (bulbe), pour que l'homme puisse s'orienter dans l'espace, marcher droit et tenir debout (cervelet), tourner les yeux et la tête pour repérer une proie ou une menace, veiller ou dormir (mésencéphale). Il lui faut dès lors régler aussi sa température d'animal à sang chaud, manger à sa faim, boire jusqu'à satiété, s'accoupler pour perpétuer sa descendance et son espèce. Le complexe hypothalamo-hypophysaire répondra aux variations de température, aux nécessités de l'alimentation, de l'hydratation du corps, aux pulsions de la sexualité, au déclenchement de l'accouchement puis de l'allaitement. Il n'est pas jusqu'à la réaction au stress dont il ne soit un chaînon essentiel.

Des thermocapteurs situés sous la peau informent l'hypothalamus (plus précisément ses noyaux dits pré-optiques parce que situés devant le « croisement des voies optiques ») de la température ambiante. Celui-ci répond de façon adéquate : la chaleur devient-elle excessive ? la sudation est sollicitée et son évaporation refroidit les téguments, les vaisseaux superficiels sont plus ouverts, la respiration s'accélère, les mouvements se raréfient ; le froid s'installe-t-il brusquement ? un frisson survient, les poils se hérissent, visage et extrémités pâlissent dans un premier temps, réduisant la perte calorique, les mouvements sont sollicités (se frotter les mains et battre la semelle). L'hibernation prolongée chez l'adulte ou, à l'inverse, le coup de chaleur du nourrisson peuvent entraîner la mort si les défenses sont débordées.

Le creux à l'estomac, le taux du sucre qui baisse dans le sang alertent les centres hypothalamiques de l'appétit. Les détruire chez un animal, c'est le tuer à court terme à travers une anorexie qui n'a rien de « mentale ». A l'inverse, détruire expérimentalement les centres hypothalamiques de la satiété, c'est provoquer chez le rat une boulimie spectaculaire entraînant à bref délai une obésité monstrueuse. Dans la réalité, les faits sont un peu plus complexes car des circuits nerveux engagent aussi l'odorat et le goût dans cette aventure.

La pression osmotique* est régulée par des osmo-récepteurs. Le sérum contient-il trop de sel et pas assez d'eau ? la sensation de soif apparaît. L'hypothalamus sollicité libère, avec un relais dans la partie postérieure de l'hypophyse, l'hormone antidiurétique : le volume des urines sécrétées est immédiatement réduit, l'eau cesse de fuir le corps par cette issue importante, au moins pour un temps, et la salinité du plasma retrouve sa valeur normale.

Le « gonostat », relié à l'hypophyse, règle la sexualité et la reproduction. Il réside dans les noyaux situés tout à l'arrière de l'hypothalamus et engendre chez l'animal des pulsions saisonnières, ruts et chaleurs, alors que dans notre espèce il peut fonctionner en permanence. Il provoque à son heure la puberté et les règles chez la fille, préside à l'établissement des comportements d'approche, de parade, et aux actes consommatoires qui s'ensuivront, à la bonne réalisation d'une fécondation, au bon déroulement d'une grossesse, et participe au déclenchement de l'accouchement, de la montée laiteuse, de l'allaitement et du maternage.

Le terme de stress choque encore les puristes francophones. Certes, il n'est pas (ou mal) traduisible. Créé en 1936 par Hans Selye dans un article de la revue *Nature*, il a connu un regain de célébrité d'abord parce que Henri Laborit l'inséra dans son concept de « l'agressologie ». On parle désormais couramment (trop ?) de stress dans le public : ne s'agit-il pas en effet d'un risque de déstabilisation possible face à l'environnement menaçant ? Fuite ou lutte ? La « décharge d'adrénaline* » qui peut tuer net ou, au contraire, sauver n'est-elle pas un sujet courant de conversation ? Elle est provoquée par l'excitation d'un axe hypothalamo-hypophyso-surrénalien aujourd'hui balisé. Les services de soins intensifs manient neuroleptiques, neuranalgésiques, tranquillisants majeurs face à des agressés de tous ordres, et lorsque l'hypothalamus risque de défaillir tirent d'affaire des « stressés » voués autrefois, dans certains cas, à la mort.

Le cerveau limbique : les archives et les passions

Au-delà du « reptilien » (diencéphale et hypothalamus), l'étage suivant de l'encéphale est de structure déjà si complexe qu'elle défie l'analyse lorsqu'on dispose de peu d'espace pour la décrire. Exhumé par Sigmund Freud, d'abord à coups de scalpel lorsqu'il était neurologue, puis déchiffré par lui à l'écoute analytique de ses patients, ce cerveau-là qu'on dit aussi « limbique » retient aujourd'hui l'attention des neurophysiologistes, des neuropharmacologues et de bien d'autres spécialistes qui se disent « neurocognitiens ».

Ce cerveau-là se souvient. Et sans mémoire, sans archives, il ne peut y avoir pour un mammifère de vie sociale possible. Le souvenir répété, guidé par l'expérience, autorise l'apprentissage indispensable au quotidien et à l'acquis d'une profession. Les émotions sont palpées, développées, parfois refoulées, mais mobilisables, observables au cours des comportements, engendrant les sentiments et les passions, les amours, les haines, les plaisirs ou les déplaisirs, « accrocheurs » durablement recherchés ou rejetés selon les instants et selon les gens.

La mémoire est « cette tisseuse neuronale têtue [qui] noue et renoue tout ensemble les fils de vie et de connaissance qui forment la trame du tissu humain» (Bernard Schott, 1988). Comme une ville après un incendie ou un navire après son naufrage, les amnésiques ont perdu leurs archives. Ils voient, entendent, parlent, se déplacent mais ne reconnaissent plus rien de ce qui les entoure, se détournent parfois du spectacle d'un miroir qui leur renvoie l'image de leur corps et de leur propre biographie dont ils se désintéressent.

Il n'existe nulle part dans l'encéphale de centre unique qui serait spécifique de la mémoire. Ainsi reste-t-il encore beaucoup à découvrir, ne serait-ce que le lieu où furent enfouis nos tout premiers souvenirs. Faites cette expérience facile et demandez si vous êtes en compagnie : «Quel est l'événement de votre vie le plus ancien dont vous avez gardé la trace ?» Vous serez toujours étonnés par les réponses : telle personne, dont le père est mort à la guerre, alors qu'elle avait six ans, n'en a conservé ni l'image, ni la voix, ni les gestes. Si les photographies n'étaient pas là, si on ne lui avait maintes fois raconté les circonstances de la disparition paternelle, et montré le sous-verre qui abrite les médailles méritées au front, ce père n'existerait pas. A l'inverse, d'autres vous répondront : «Mon frère cadet a deux ans de moins que moi. Je le revois dans son berceau de nouveau-né.» Six ans, deux ans, l'écart ne doit pas impressionner. Mais *avant* deux ans ? Le visage penché, attendri, des grands-parents, l'odeur du sein de la mère, la crèche et les premiers «amis», les arbres du jardin où l'on a joué, où sont-ils retenus ? Selon ce que j'ai pu lire ou écouter, personne ne le sait vraiment. Les analystes ont présenté cette histoire

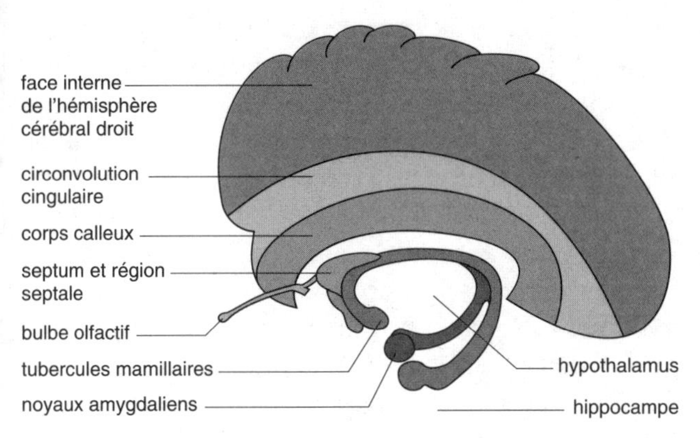

Source : Jacques-Michel Robert,
L'Aventure des neurones, Le Seuil, 1994.

Le système limbique. *Ce dessin schématique montre le système limbique, logé au cœur du cerveau avec ses différentes structures dont les fonctions essentielles sont de contenir la mémoire et les passions.*

inconnue, « stade par stade », pour proposer une explication à l'origine de certaines névroses.

Les anciens neurologues opposaient déjà la mémoire des faits anciens (ou mémoire rétrograde) à la mémoire des faits récents (mémoire antérograde). Cette distinction a bien tenu le cap, avec quelques variantes. Enfant, écoutant de vieilles personnes raconter leur guerre, gloires ou défaites, j'avais, comme tout autre a pu le faire, remarqué combien les détails de ce qu'ils avaient vécu alors étaient précis et persistants : noms de leurs chefs, de leurs camarades de combat, villages perdus ou repris, numéro des régiments. Les mêmes vieilles personnes ne seraient jamais parties ce matin-là faire leurs courses sans un petit papier sur lequel elles avaient crayonné la liste des achats à faire.

Parler aujourd'hui de fixation « à long terme » et « à court terme » revient pratiquement à la classification ancienne. Chacun peut retenir « par cœur » une série énoncée de six, sept à huit chiffres. L'âge venant, ou si la série en question n'a pas d'utilité fréquente ni d'usage immédiat, pour un code par exemple, des trous dans l'énoncé apparaîtront au bout de quelques minutes ou de quelques jours et nul ne s'en souciera. Chacun sait aussi qu'après un traumatisme crânien suivi de perte de connaissance le souvenir des instants qui ont précédé l'accident est comme effacé sur une période plus ou moins longue (sans que l'on sache, pour l'instant, expliquer ce phénomène).

La mémoire est donc d'abord « impression » puis stockage (sous la forme encore mythique que les neurophysiologistes dénomment engrammes) ou non-stockage selon que le souvenir a été ou non transporté dans une sorte de réserve où l'on peut le retrouver et d'où l'on peut le rappeler plus ou moins vite, avec ou sans le secours d'associations d'idées, parfois personnalisées : pour certains, il s'agira de la mémoire qualifiée de visuelle : il leur est difficile de retenir une phrase, un nombre, une information, un schéma s'ils ne les ont pas lus.

D'autres estiment disposer d'une mémoire plutôt auditive : entendre deux mesures au hasard d'une œuvre classique maintes fois écoutée appelle aussitôt le clignotement mental du souvenir de tel mouvement, de telle sonate, de tel opus, de tel auteur, de tel interprète parfois. Ce petit jeu de société est sans lien avec le degré de connaissance que le joueur a du solfège. Enfin, certains aident involontairement leur mémoire en écrivant « dans le vide » le nom prononcé, ou en le marmonnant. Ces répétitions mentales ou motrices vont aider à maintenir la trace ainsi confortée, créant parfois des réactions saugrenues telles que le nœud fait au mouchoir dans un but de ressouvenance pour un événement important à venir, même s'il arrive qu'on oublie la raison même de ce geste pourtant sécurisant à terme. La mélodie (même sans paroles) peut aider aussi, et l'alexandrin, et la prose (belle), l'octosyllabe, quand ce n'est pas, hélas, le slogan martelé ou le refrain d'une chansonnette publicitaire.

Surtout, la mémoire doit être envisagée dans sa dynamique : elle s'enrichit, elle perdure ou s'effrite selon l'âge. La vie durant, elle se réorganise sans cesse sous la pression des flux nouveaux d'information et des demandes particulières qu'on va exiger d'elle. Ce processus est indispensable à la maintenance d'une image mentale interne. Il faut tout à la fois profiter d'un passé encore évocable et mordre sur le futur en anticipant sur lui. Vécu, programmes et stratégies... Des incitations redondantes souvent nécessaires fraient un passage entre des neurones qui s'ignoraient. Les synapses* (en grec « l'attache », la broche qui boucle la robe) sont connectées, sollicitées, consolidées. Les chemins stables, très empruntés, seront conservés. Les autres frisent la disparition. Ainsi en est-il de la taille répétée des buissons de roses sauvages : les rameaux « gourmands » sans fleurs ni postérité seront éliminés par le bon jardinier qui conservera et saura mieux étayer le buisson, qu'on espère flamboyant, du futur de ce cerveau.

Les constatations des neurochirurgiens, la pathologie nerveuse et les destructions qu'elle peut provoquer ont porté l'attention sur le cerveau limbique humain, en particulier sur deux structures bien connues, et depuis longtemps : la circonvolution et les noyaux de l'hippocampe*, et les petites mamelles*.

Curieux nom que celui de la circonvolution et des noyaux de l'hippocampe : en coupe frontale d'un cerveau humain, sa silhouette évoque celle du petit poisson à tête chevaline dont on lui a prêté le vocable. Né chez les reptiles les plus récents, il s'enfonce à l'embase des hémisphères cérébraux, se tasse, se plisse sous la poussée des divisions cellulaires dont il est l'objet chez le fœtus. Les neurones « engrammés » de l'hippocampe comparent sans cesse les sensations nouvelles qu'ils reçoivent avec les traces déjà enregistrées. Ils tirent la leçon d'un échec en se référant aux expériences passées, permettent à l'organisme de s'adapter en conséquence, perçoivent l'originalité d'une information jamais encore intégrée. Au sein des stimuli sensoriels et sensitifs qui les affectent, ils séparent, en un temps très court, ce qu'ils connaissent déjà, neutralisé et banalisé, de ce qui est nouveau, enrichissant ou parfois inquiétant.

Les petites mamelles (tubercules mamillaires), quant à elles, et bien que participant aussi aux circuits de la mémoire, sont douées de fonctions différentes : leurs neurones une fois détruits, chez un alcoolique chronique le plus souvent, les symptômes très impressionnants présentés par le patient concernent la mémoire immédiate. Aucun souvenir récent n'est retenu (amnésie antérograde, ou de fixation) alors que les anciens souvenirs sont bien là. Pour sauvegarder sa « façade » et préserver, un tant soit peu, un semblant de communication sociale, le malade fabule, raconte n'importe quoi sans presque s'interrompre, dans une apparente euphorie qui masque peut-être son angoisse, sautant au cou et embrassant comme de vieilles connaissances les personnes qui entrent dans sa chambre alors qu'il ne les a jamais rencontrées (symptôme dit de fausse reconnaissance) : « Vous, ici ? »

On l'avait méconnu ce cerveau limbique où, je l'ai déjà souligné, mémoire, apprentissage d'une part, et affectivité d'autre part, sont intimement liés. Ses structures lui confèrent une affectivité subtile et vulnérable qu'ignoraient le diencéphale du lézard et le tronc cérébral du poisson. C'est en référence au contenu mémorisé par ce système qu'une information sensorielle ou sensitive acquiert ou non une résonance émotive, dont dépendra dans une certaine mesure la socialisation, l'intégration d'un mammifère évolué à son groupe. Les séquences stéréotypées seront ensuite modelées par les nuances d'un vécu individuel.

Les passions et les comportements évoquant plaisir et déplaisir y sont nés et (même si les expérimentations chez les rats et les souris ne sont pas toutes transposables à l'espèce humaine) sont logés quelque part au sein de ces circuits. Le septum* et la région septale* qui l'entourent abritent des éléments qui interviennent lors de l'agressivité mais aussi dans le plaisir. Une lésion importante provoquée dans le septum d'un rat entraîne chez l'animal l'apparition d'accès de rage incontrôlables. A l'inverse, une stimulation modérée des mêmes structures, dont on sait qu'elles sont en liaison anatomique et fonctionnelle proches, entraîne ce qu'il est bien convenu de nommer une «réaction de jouissance» : dès 1954, James Olds implanta des électrodes dans ces systèmes chez des rats qui apprirent très vite qu'ils pouvaient s'autostimuler jusqu'à l'épuisement, en appuyant de leur patte sur le levier qui provoquait l'excitation électrique. On comprend la description soigneuse de cet enchaînement particulier des neurones limbiques par Papez qui parlait de «circuit du plaisir» pour qualifier les voies de la récompense.

On rencontre au sein du limbus d'autres circuits excitateurs et inhibiteurs du même ordre, par exemple dans la *cingula**(la «petite ceinture», en latin) ou les noyaux amygdaliens* (*amugdalê*, «petite amande»). Chez un lapin, la stimulation électrique de ceux-ci produit un état d'agitation désordonné; en revanche, leur destruction entraîne un négativisme absolu : l'animal se tasse dans un coin de sa cage, ne bouge plus, ne boit plus, se laisse mourir.

Le cortex : la passerelle du commandant

Le cortex cérébral constitue l'étage supérieur du navire. Y sont concentrés, reliés aux étages sous-jacents, les structures responsables du recueil et du traitement des informations, les moyens de communication et d'exécution immédiate ou retardée. Tout au long de l'évolution des vertébrés, l'ampoule neurale a continué sa marche vers l'avant : deux ventricules latéraux sont nés, occupant symétriquement à droite et à gauche l'intérieur de ce que seront les hémisphères cérébraux. Le ventricule central primitif est resté en place. On l'appelle désormais le troisième ventricule. Son plancher repose sur l'hypothalamus. Les trois poches sont circonscrites par une assise cellulaire continue, celle des neuroblastes primitifs*.

Entre le quatrième mois de la vie fœtale et la naissance, au rythme de deux cent cinquante mille divisions à la minute, ces cellules vont se multiplier, puis migrer à la périphérie, tisser entre elles un nombre de liens incalculable, et amorcer leur fonctionnement. C'est la corticalisation. Le cortex, c'est «l'écorce», et dans l'espèce humaine elle est formée de six couches superposées que l'on a numérotées de I à VI. La plus superficielle (I) et la plus profonde (VI) sont les premières en place. Les neurones des autres couches dès leur naissance vont grimper posément à la vitesse d'un dixième de millimètre par jour le long des cellules-guides, sorte de tuteurs, issues de la névroglie*. Les guides encordent littéralement les neurones lors de leur ascension, et ceux-ci glissent, rampent, s'enlacent, envoyant vers la surface du cerveau des prolongements qui se raccourcissent, hissant derrière eux les neurones de la même cordée, de la même colonne. Ceux-ci se trouvent ainsi attirés au niveau prévu et s'y installent définitivement, couche après couche. Enfin viendra l'heure des connexions, généralement horizontales,

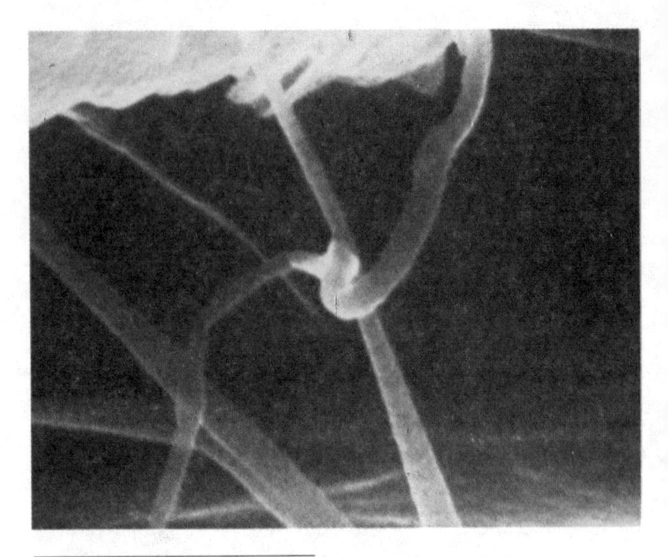

Corticalisation du cervelet et du cerveau.
Sur cette photo prise au microscope électronique, on distingue nettement les guides gliaux et la formation de liens entre deux neurones par leurs synapses.
Ph. © DR.

parallèles à la surface du cerveau, car une colonne corticale verticale considérée isolément n'a que peu de pouvoir. C'est toute une région du cortex qui doit réagir, en un temps ultracourt, et bien que construite selon le même modèle, chacune d'entre elles conserve son originalité fonctionnelle. Reconnaître un visage, un chant, une odeur, un poème, ne sollicite pas la totalité des cellules corticales mais des cellules spécialisées.

Au fait, combien sont-elles ces cellules? Selon l'ouvrage qu'on consulte, on trouve proposés des chiffres variant du simple au décuple. Ce qui compte, en effet, c'est moins le nombre des neurones pêchés par un prélèvement dans telle ou telle zone du cortex que le nombre, justement, de leurs connexions qu'on appelle synapses. Or, on sait qu'un neurone, cette « puce d'élite », peut établir simultanément plusieurs milliers de liaisons synaptiques avec ses congénères proches ou lointains.

Les organes des sens sont de véritables capteurs. Des mammifères tels que les chauves-souris, les dauphins, certaines races de chiens, émettent des ultrasons ou les perçoivent. L'espèce humaine ne bénéficie pas de sonars. Mais l'échelle de son audition reste des plus correctes si on la compare à celle de l'ensemble des vertébrés. Et puis elle dispose de cinq sens adaptés que l'école nous a bien enseignés.

S'agissant du toucher, la sensibilité est parlante, en permanence. Sous l'épiderme sont placés des corpuscules spécialisés dans la perception de la douleur, du chaud, du froid, ou tout simplement du tact, du simple effleurement à la pression, au pincement ou à la piqûre. La sensibilité des profondeurs de l'organisme est généralement muette à l'exception de la douleur causée par perforation d'un ulcère gastrique ou d'une appendicite, d'une colique néphrétique, hépatique, ou intestinale, d'un infarctus du myocarde. L'information viscérale, bénéfique parce qu'elle alerte et inquiète, a emprunté un instant les liaisons du système sympathique (le bien nommé puisque son nom signifie « qui souffre avec »), puis gagné la moelle épinière qui relaie le signal douloureux vers les centres supérieurs où il sera consciemment perçu.

Il existe entre les capteurs du tact et le cortex qui enregistre les renseignements une voie rapide : en quelques bonds (trois neurones câblés en série se relaient de l'épiderme au cortex) et une voie lente (câblée en réseaux complexes) : les messages collectés par la moelle épinière gagnent ensuite le tronc cérébral (qui contient l'inextricable enchevêtrement de la substance réticulée), puis le thalamus, et éventuellement le cortex. Le cortex sensitif est représenté par une circonvolution dite « pariétale ascendante », en arrière du sillon de Rolando (voir schéma, p. 98). Chaque partie du revêtement cutané du corps est représentée dans le cortex proportionnellement à sa richesse en terminaisons sensitives. Ainsi, dans notre espèce, la représentation corticale fait-elle une large part à la main, aux lèvres, à la langue. Tentation amoureuse ?

L'odorat est précieux mais on peut vivre sans odorat (on parle alors d'anosmie). Sur chacun des deux bourgeons nés de la peau qui donneront plus tard le front, au cours du deuxième mois de la vie fœtale apparaît une « placode olfactive » qui se déprime en gouttière. Ce sont les futures fosses nasales que le nez viendra recouvrir. Dans le même temps, deux bourgeons, émanations du cerveau en formation, viendront prendre contact avec les précédents. La muqueuse nasale compte environ un million de capteurs. Par leur pôle muni de cils, ils baignent dans le mucus du haut des fosses nasales. Ils disposent à l'autre extrémité d'un axone. Seules les molécules volatiles, piégées et solubles dans le mucus, seront perçues. Un stimulus nerveux naîtra que deux neurones en série vont relayer pour atteindre l'hippocampe et l'hypothalamus et s'y épanouir. L'ensemble de ces structures situées à la base du lobe temporal fit qu'autrefois on appelait cette région le rhinencéphale*, l'encéphale « du nez ». C'est la partie la plus ancienne du cerveau. Elle se dessine déjà chez les reptiles. Elle joue chez les mammifères, y compris l'homme, un rôle important (recherche de nourriture, repérage d'un partenaire sexuel, marquage odorant du territoire, importance des parfums).

La langue contient les capteurs du goût, près de dix mille papilles réparties à la surface de l'organe, dont une douzaine de forte taille, visibles, alignées en V, qu'on voit lorsqu'on fait tirer une langue très fort. Les cellules ciliées « gustatives » sont aptes à reconnaître les substances solubles dans la salive, mais sont spécialisées : celles de la pointe de la langue perçoivent le doux et le salé, l'acide est perçu sur les côtés et l'amer à la base. Les œnologues et les taste-vin savent bien tout cela. Deux nerfs (droit et gauche), les glosso-pharyngiens (paire dite n° IX), emmènent les stimuli captés jusqu'au cortex dans un lobe caché sous la scissure de Sylvius (voir schéma, p. 98) appelé l'*insula** où ils retrouvent les organes de commande de la salivation et de la mastication. En réalité, l'analyse du goût est plus complexe. Nul ne l'a mieux écrit que Brillat-Savarin : « Tout corps sapide est nécessairement odorant [...]. On ne mange rien sans le sentir avec plus ou moins de réflexion ; et pour les aliments inconnus le nez fait toujours fonction de sentinelle avancée qui crie : qui va là ? Quand on intercepte l'odorat on paralyse le goût. »

Dès le début du deuxième mois de la grossesse, deux vésicules auditives s'invaginent et migrent en profondeur en direction du tube nerveux central de l'embryon. Deux nerfs d'une grande importance conduiront (pour qu'elles soient traitées) les ondes reçues : l'un (le nerf vestibulaire) vers le « vestibule » avec ses trois canaux semi-circulaires, l'autre (le nerf auditif) vers la cochlée (ou organe de Corti) qui contient les capteurs de toutes les vibrations acoustiques (dans l'intervalle de 20 à 20 000 hertz). L'intensité du son a aussi son importance : au-dessus du seuil de 160 décibels, l'intensité devient douloureuse et des « barotraumatismes » peuvent entraîner des lésions définitives de l'organe de Corti. Il est tout à fait plausible qu'un fœtus à cinq mois de grossesse détecte la voix ou les chants de ses parents, ou les hurlements d'une « sono » démente, ce qui ne le prépare guère à un univers plus silencieux. La zone auditive primaire du cortex est représentée par la première circonvolution temporale. Les fibres du nerf auditif provenant d'une seule oreille ont une représentation bilatérale, dans les deux lobes temporaux.

Dès le début du deuxième mois de la vie fœtale, deux émanations du tube neural, les vésicules optiques droite et gauche, se développent jusqu'à parvenir au contact du revêtement extérieur de la face qui s'épaissit et donnera en ce point les deux cristallins. Les rétines resteront reliées au système nerveux central par les nerfs optiques. Deux types de cellules très spécialisées forment l'essentiel des rétines : les unes, les cellules à bâtonnets, contiennent un pigment pourpre dérivé de la vitamine A dont la décomposition partielle par la lumière est à l'origine de la sensation lumineuse ; les autres sont les cellules à cônes, moins nombreuses et rassemblées en grande partie dans la région centrale de la rétine. La rhodopsine dont elles sont remplies est une molécule aujourd'hui bien connue. Non seulement la finesse de la vue dépend de la présence des cônes, mais aussi toutes les formes du daltonisme connues ont été reliées à une altération d'origine génétique de la molécule qui les compose.

En principe, pour un sujet disposant de cinq organes des sens efficaces, les messages passent bien après quelques relais parfois. La normalité réclame aussi non seulement que le renseignement soit enregistré, mais encore que sa nouveauté (s'il en est) déclenche une réponse nerveuse adaptée. Bien entendu, la querelle des localisations au XIXe siècle n'est plus de mise aujourd'hui mais elle eut auprès de ses contemporains ses heures de gloire. Et pourtant, le rôle réceptif des cellules du cortex de chaque lobe cérébral reste sujet d'étude.

En 1978, des équipes suédoises (physiciens et informaticiens) ont publié leurs travaux : ils ont utilisé le xénon 132, isotope* radioactif du xénon naturel (qui n'est qu'un gaz inerte) pour l'injecter, mis en solution, dans l'artère carotide* d'un patient. L'apparition, la répartition, puis la disparition de la radioactivité étaient suivies, image par image, par une caméra à rayons gamma comportant une batterie de deux cent cinquante-quatre scintillateurs externes, placés au contact du front et de la tempe. Un ordinateur intégrait toutes les informations provenant des compteurs et les traduisait sur écran, chaque niveau de débit étant symboliquement affecté d'une couleur : lorsque le sujet se sert de sa main droite, la région frontale, génératrice de motricité, s'allume du côté opposé (les voies de la motricité sont croisées). Lorsque le sujet qui tenait les yeux fermés les ouvre, c'est le lobe occipital, zone de réception des impacts visuels, qui s'éclaire. Placé dans l'obscurité, les oreilles bouchées, le sujet éveillé «pense» et seules se manifestent les aires préfrontales qui ne sont bien développées que dans l'espèce humaine. Si enfin le sujet pense et traduit sa pensée par une parole, la région temporo-pariétale gauche (s'il est droitier) s'illumine à son tour.

Les photographies en couleurs de ce mode d'investigation sont superbes. Mais elles présentent l'inconvénient de suggérer que le fonctionnement du cortex, somme toute, pourrait être simple : «Émission captée → réponse, immédiate ou différée.» La réalité est tout autre : un banal aller-retour peut se concevoir à la rigueur pour la patte isolée d'une grenouille dont on excite le nerf moteur et qui se contracte. Le cerveau humain comporte des milliards de microcircuits synaptiques qui ne sont pas ceux d'un central téléphonique, ni ceux d'un ordinateur, encore moins ceux d'un robot. J. Bullier (1992), qui a longuement étudié avec ses collaborateurs les voies visuelles du chat et du chimpanzé, écrit ce qui suit : «Loin de ressembler à une vague déferlante sur le rivage, le décours temporel de l'activité corticale s'apparente plutôt à un feu de forêt qui, par fort mistral, débute au même instant dans des endroits éloignés et embrase de façon quasi simultanée une énorme étendue de cette forêt. » En une fraction de seconde, nous entrevoyons un visage. Cette opération met en jeu d'innombrables capteurs qui sollicitent la réponse d'un émetteur : « Je connais cette personne » ou bien « je ne la connais pas ». Le doute, ou l'erreur, ouvrent éventuellement la porte à de sérieuses conséquences.

Les neurones cérébraux, enfin, vivent au sein d'un environnement qui peut être plus ou moins brusquement modifié, et ils sont la cible d'autres neurones connectés qui leur apportent sans cesse des informations nouvelles qu'il faut identifier, intégrer, classer, réactualiser.

Le commandant de bord peste avec raison contre ceux qui lui ont fourni des cartes trop anciennes où ne figurent pas encore les hauts-fonds de récifs coralliens surgis plus ou moins récemment sur la route qu'il veut emprunter.

Le fonctionnement

Neurones et synapses

Du capteur à l'émetteur, tout circuit comporte donc un nombre variable de cellules hautement spécialisées, les neurones branchés sur leurs congénères par l'entremise de synapses. L'importance de leur jeu, notamment dans le cerveau qui est l'organe où ils existent en

Schéma d'un neurone.
Le corps neuronal donne naissance d'une part à des dendrites en nombre variable, mais également à un seul axone, entouré d'une gaine de myéline, qui présente un bouton terminal. Il est généralement plus long que les dendrites qui tendent à se ramifier en touffes autour du corps cellulaire. Un neurone reçoit, par l'intermédiaire des synapses, des informations en provenance des neurones d'amont. Un seul neurone peut compter jusqu'à un millier de synapses.

Un neurone n'est jamais isolé.
Les performances du neurone sont liées essentiellement à ses contacts qui forment des réseaux transversaux et verticaux bien visibles sur cette photographie.
Ph. © Manfred Kage / SPL / Cosmos.

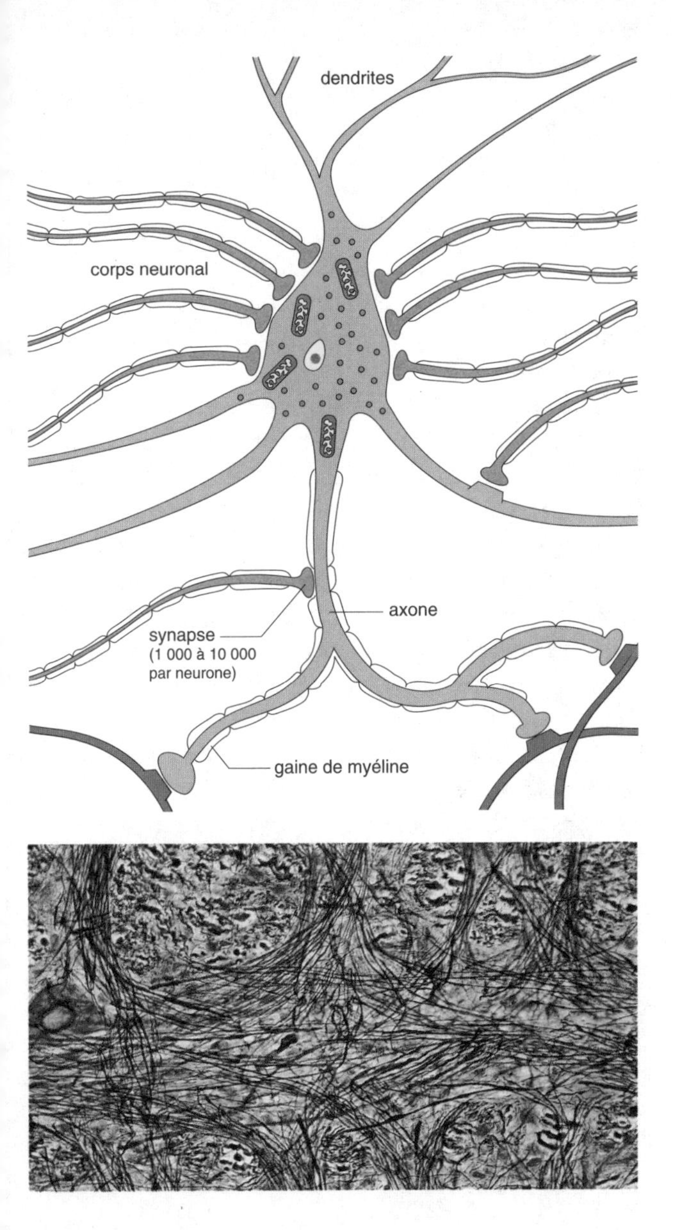
dendrites
corps neuronal
axone
synapse
(1 000 à 10 000
par neurone)
gaine de myéline

plus grand nombre, réclame qu'on revienne un instant sur leurs fonctions.

Il y a environ cinq cents millions d'années, au sein du règne animal et probablement chez une méduse, un événement tout à fait considérable est survenu : une cellule du revêtement externe de l'animal se trouva brusquement dotée de propriétés « jamais vues » auparavant.

Elle était en effet capable : de capter des informations extérieures (photons solaires, objets en déplacement, pressions ou dépressions, ondes sonores, salinité du milieu, perception de molécules odoriférantes) ; de trier, d'analyser ces informations et de les imprimer dans certains neurones cérébraux d'une manière qui n'est que partiellement connue ; de comparer ces diverses impressions, d'en faire la moyenne et, en fonction du résultat, de répondre ou de ne pas répondre, d'alerter ou de ne pas alerter à travers une synapse un ou d'autres neurones en aval ; de conduire la réponse lorsqu'elle est positive sous la forme d'une onde excitatrice à une vitesse de l'ordre de plusieurs dizaines de mètres par seconde.

On comprend mieux que, contrairement à certaines cellules qui voyagent dans l'organisme, libres et indépendantes, un neurone, fixe, ne peut vivre, fonctionner, exister, que s'il a pu créer des réseaux ou des circuits avec des congénères. De la qualité de ces réalisations découlera le degré des performances du cerveau humain.

La membrane qui entoure le neurone est ainsi faite qu'elle maintient en son intérieur une composition différente de celle du milieu extérieur. Un «potentiel de repos» permanent et négatif qui correspond à 70 mV (millivolts) est créé simplement par l'existence de dix fois moins d'ions sodium (Na^+) et dix fois plus d'ions potassium (K^+) à l'intérieur d'un neurone au repos qu'à son extérieur.

Lorsque le corps cellulaire est excité, d'innombrables canaux s'ouvrent dans la membrane. Des ions sodium entrent massivement et, de négatif (-70 mV), le potentiel devient quasi immédiatement positif : on dit que le potentiel de repos est devenu un potentiel d'action (+40 mV). Se manifeste alors un influx électrique très bref qui gagne l'arborisation terminale du neurone, courant de proche en proche, comme la flamme parcourant la mèche d'un cordon explosif. Telle est la manifestation «électrique» de l'influx nerveux après laquelle le potentiel reprend sa valeur de -70 mV. Les potentiels d'action sont d'amplitude et d'intensité invariables. Ils ne peuvent varier que par leur fréquence, c'est-à-dire par le nombre d'influx émis en une seconde.

Ainsi, un neurone ne peut être imaginé seul. Il faut en amont de lui au moins un autre neurone, avec entre eux deux une fente synaptique ou synapse. A l'opposé, le neurone doit communiquer par une autre synapse avec un neurone d'aval; parfois, des boucles de rétroaction en circuits sont constituées. Cela n'est qu'un schéma et il est peu probable qu'il existe dans le cerveau des constructions aussi rudimentaires. Mais pour comprendre, on peut s'efforcer de simplifier sans trop trahir.

L'affrètement

Le droit maritime donne de l'affrètement la définition suivante : utilisation d'un navire pour le transport de marchandises. Un armateur n'apprécie pas, surtout s'il a été parfaitement construit, que son bateau circule à vide. Tête bien faite et tête bien pleine, Montaigne classait l'une avant l'autre. Mais pourquoi ne pas imaginer un bon équilibre entre le contenant et le contenu d'un cerveau? J'ai en mémoire ce fermier qui me paraissait très vieux et qu'on devinait quasiment illettré, contemplant son petit-fils de mon âge et avec lequel je jouais l'été dans la cour. Il venait de réussir premier du canton au certificat d'études primaires. Je sais qu'il est resté tout aussi brillant que modeste et qu'après de hautes études il est tôt parvenu au sein de l'étroite colonie de ceux qui nous gouvernent. Le vieil homme lorgnait l'enfant avec une indicible fierté, se frappait le front de sa large paume calleuse, répétant sans cesse : « Il en a, là-dedans. » Tête bien faite et tête bien pleine, n'est-ce pas le but de la recherche des « chasseurs de têtes », de nos jours? Et n'est-ce pas le vœu secret de tout parent d'élève? N'est-ce pas le but vers lequel tendent les enseignants de tous ordres?

La mère ressent bouger son fœtus dès le quatrième mois de sa vie intra-utérine. L'échographie, « sonar » à la recherche du petit sous-marin, révèle à l'écran les mouvements discrets des bras et des jambes dès qu'ils sont formés. L'oreille interne achevée, il entend les voix proches, la musique, les cris, les disputes aussi sans doute. A la naissance, tous les réflexes « sensori-moteurs » indispensables à la vie et à la survie sont en place. Le nourrisson « émerge ». Dès la fin du premier mois, veille et sommeil sont un peu moins liés à la sensation de faim et de satiété, mais toute relation essentielle avec le monde extérieur reste attachée au cérémonial des repas.

Entre sept et dix mois viendront les premières « praxies » (ou techniques) : les mouvements ne sont plus isolés mais sont coordonnés pour l'obtention d'un résultat. Par exemple, l'enfant réussit à atteindre et à saisir l'objet qu'il convoite. On imagine, à l'observer, que s'installe une simultanéité entre zones du cortex cérébral motrices, sensitives, visuelles, auditives, gustatives et que se tissent de l'une à l'autre des associations définitives. Très vite, le nourrisson fait montre de réactions sélectives et adaptées à l'égard des personnes qui l'entourent. Il reconnaît les voix familières et discerne leur intonation. Il parviendra à se découvrir comme une unité physique distincte de l'environnement, à faire une meilleure discrimination entre amis et étrangers éventuellement hostiles. Oubliant son babil primitif, il se prépare à développer son langage afin de communiquer désormais par la parole ses expériences et ses désirs. Tous ces progrès supposent que les systèmes de captation et d'intégration des messages sensoriels, que les systèmes moteurs d'expression et de geste, mûrissent de façon satisfaisante, que les performances associatives du jeune cortex soient adéquates et qu'un milieu affectif et culturel convenable les stimule et les motive.

Il reste pernicieux et stupide de continuer à affronter inné et acquis dans la genèse des performances intellectuelles d'un être humain. L'un est la cire de la bougie, l'autre sa mèche. Quand viendront l'allumette et la lumière, bien prétentieux sera celui qui fera la part de deux forces évidentes qui sont de celles qui ont fait le monde.

L'avitaillement

L'avitaillement est un terme de marine. Il signifie fournir à un navire tout ce qui constitue son approvisionnement, notamment les denrées nécessaires à l'alimentation de l'équipage et des passagers, ainsi que les combustibles pour le fonctionnement des machines.

Alors qu'une cellule animale quelconque peut utiliser en cas de besoin d'autres ressources énergétiques, les neurones du cerveau en général et ceux du système nerveux en particulier ne consomment que le glucose* du sang. Or, les réserves sucrées du cerveau sont modestes, évaluées à deux grammes de glycogène (forme de stockage du glucose). Le nouveau-né, dans les conditions normales, présente un taux très bas de glucose dans le sang (0,30 gramme par litre au lieu de 1 gramme par litre chez l'adulte). Descendre au-dessous de ce taux pour un nouveau-né représente un risque mortel si l'hypoglycémie n'est pas aussitôt reconnue et traitée.

Parmi tous les organes des vertébrés, le cerveau est celui qui consomme le plus d'oxygène. Quatre artères le perfusent en permanence : au pli du cou, sous la mandibule, on peut palper et sentir battre les artères carotides internes, droite et gauche, du calibre d'un crayon, alors qu'à l'arrière, plus minces et plus profondément enfouies, les deux artères vertébrales irriguent par leurs arborisations le cervelet, le tronc cérébral, et toute la partie postérieure du cerveau. Le cerveau est extrêmement vulnérable à l'égard de son oxygénation, même en période de sommeil ou de rêve. La menace d'anoxie* cérébrale peut avoir des causes diverses que nous verrons bientôt, et dès son premier cri un nouveau-né peut souffrir d'une obstruction liquidienne de ses voies respiratoires, d'origine amniotique. Tout doit être prêt en salle d'accouchement pour une aspiration libératrice, qui permet d'éviter la mort des cellules cérébrales. Parfois on constate, dès que la tête est dégagée, qu'un « circulaire » serré du cordon ombilical (peut-être trop long) ligote le cou de l'enfant. Là encore, il faut aller vite. Sinon, au bout de quelques secondes, l'être devient inerte et risque la mort de ses cellules cérébrales. En somme, il peut venir au monde « noyé » ou « pendu ». Les accoucheurs et réanimateurs de nos jours sont en grand progrès s'agissant des manœuvres à effectuer pour réduire le nombre de ces accidents.

Chez l'adulte mûr, c'est la fréquence du rythme cardiaque dont la chute peut conduire au pire si l'on n'y prend garde : au-dessous de trente battements par minute, c'est l'anoxie cérébrale, suivie de mort neuronale, et la syncope heureusement transitoire si le cœur « repart » mais qui est parfois définitive. Les pacemakers, « piles-sentinelles » placées sous la peau du thorax, ont été créés pour pallier cet accident et des milliers de cardiaques de par le monde leur doivent une existence prolongée dans de bonnes conditions.

On connaît mieux aujourd'hui
la structure de l'encéphale
et les multiples liaisons
qui permettent son fonctionnement.
Les mécanismes de la pensée
n'en sont pas élucidés pour autant.

Pourquoi cette merveilleuse machine
peut-elle s'enrayer parfois dès avant la naissance
alors que chez d'autres, d'un grand âge,
elle peut être l'organe qui s'éteint le dernier ?
Pourquoi cette puissance inégalée qui imprime
de plus en plus chaque jour sur le monde
le plus grand bien ou ce mal indéfinissable
qui, à l'extrême, pourrait y dessécher la Vie ?

Les pourquoi du cerveau

Pourquoi les dysfonctionnements ?

Un cerveau, un navire, ont une durée de vie prévisible. Les assureurs (et non les moindres) en sont bien convaincus. Leur premier souci est qu'il n'y ait pas eu malfaçon.

Le développement raté de la partie antérieure d'un tube neural (prosencéphale), avec un seul ventricule central au lieu de trois, conduit parfois à la naissance d'un cyclope avec la présence fréquente dans ses cellules d'un chromosome n° 13 « en trop » (trisomie 13 : trois chromosomes 13 au lieu de deux). Homère n'a pas inventé Polyphème, ni les sirènes d'ailleurs. Encore s'agit-il en ces cas d'aberrations monstrueuses, non viables, aujourd'hui précocement dépistables à l'échographie fœtale. Les anencéphales, eux aussi, sont repérés bien avant le terme de la grossesse. Ils n'ont

---

L'enfant et le jeu d'échecs *(page précédente)*. *« Il faut perfectionner les organes du savoir[...], préparer le chemin à la raison par un bon exercice des sens. »* Jean-Jacques Rousseau, *Émile ou De l'éducation.* Ph. © M. Dubois/Explorer.

pas de boîte crânienne et à la place du cerveau on trouve un bourrelet de chair informe. Curieusement, la face, bien que très déformée, subsiste. Si l'enfant naît vivant, il meurt en général dès la ligature du cordon ombilical, alors que les trisomiques 21 (mongolisme), partie « émergée » des aberrations chromosomiques, parce que le plus souvent viables, s'adaptent assez bien à la vie, au prix parfois de déchirures familiales et sociales.

D'autres avatars peuvent survenir aux semaines ultérieures de l'embryogenèse. Lors de la corticalisation par exemple, quelques jours plus tard : les guides gliaux sont impuissants à transporter à la place qui leur était déterminée les neurones de telle ou telle couche cellulaire du cortex (numérotées de I à VI). Le cerveau restera tel que celui d'une lamproie (couches I + VI sans couche intermédiaire, accolées, modestes, très peu performantes). En somme, le bas de gamme le plus évident, s'agissant de poissons et de vertébrés.

Dans une autre situation, les guides sont à leur poste, avec les structures et les sécrétions enzymatiques qui sont les leurs. Mais ce sont les clients qui renâclent : ou bien leur nombre est insuffisant pour qu'une cordée de neurones puisse se former, défections liées à l'invasion infectieuse d'un virus (rubéole par exemple) ou d'un parasite (comme le toxoplasme), les précautions à l'égard de la mère enceinte ayant été insuffisantes, ou bien une influence interne ou plus exactement génétique a bloqué par erreur les ultimes divisions cellulaires. Le nombre des neurones est dramatiquement abaissé. Le cerveau existe, certes, d'aspect extérieurement quasi normal, mais il est « en réduction » *(microcephalia vera)*. Le jour de la naissance, chez le couple parental et ses proches, c'est la consternation. Contrairement aux cyclopes, aux sirènes et aux anencéphales, l'enfant va vivre et, selon les lois de Mendel, le gène anormal, une fois sur quatre au hasard, provoquera la même anomalie chez une sœur ou un frère à venir. Dans ce cas encore, l'échographie fœtale est aux aguets et sonne l'alerte, le cas échéant.

Tel autre gène, lorsqu'il est « muté », sera le responsable d'une lissencéphalie : les circonvolutions cérébrales sont mal décelables, étalées. Dans ce cas comme dans le précédent, le nombre des neurones est très réduit. Physiquement, le nouveau-né semble normal, à un examen rapide. Mais au cours des premières semaines, aucune acquisition ne surviendra. Avant quelques mois, il sera mort. La richesse ou la pauvreté en circonvolutions chez un mammifère est probablement liée au nombre des neurones corticaux présents, compte tenu, cela va de soi, du poids de l'animal.

Deux petites taches de sang prélevées à la maternité sur un buvard au talon de l'enfant né quatre jours auparavant, et voici deux anomalies, éventuellement dépistées, qui eussent rendu handicapé le cerveau de l'enfant si le geste préventif n'avait pas été accompli. Sur la première tache de sang sera pratiqué le « test de Guthrie » qui est positif chez le nouveau-né malade (une naissance sur douze mille). Après contrôle, s'il est assuré que le nourrisson est un « phényl-cétonurique »,

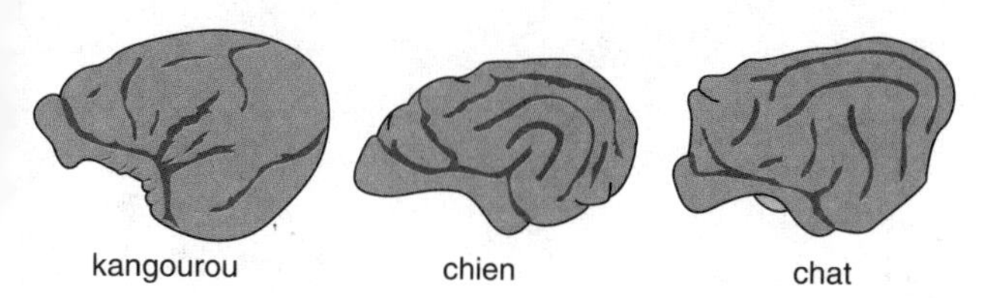

Source : d'après Beccari, 1943.

Macrogyrie et microgyrie.
Gyrus *est le terme latin qui signifie circonvolution. Chez des mammifères tels que le kangourou, les circonvolutions sont peu nombreuses et très larges (macrogyrie). Chez le chien et le chat, les circonvolutions sont plus nombreuses, plus petites et plus marquées (microgyrie).*

déficit d'origine génétique d'une enzyme entraînant l'augmentation d'un acide aminé (la phénylalanine) nocive pour le développement cérébral (arriération mentale très importante dans la forme habituelle de la maladie), un régime alimentaire immédiatement appliqué et correctement suivi pendant une dizaine d'années va préserver ce « cerveau-victime » d'une arriération mentale irréversible autrefois. La seconde tache de sang servira, par des techniques de l'endocrinologie classique, à rechercher et à découvrir (une naissance sur trois mille) si le corps thyroïde est inexistant ou s'il ne fonctionne pas normalement. Or, dans notre espèce, un bon fonctionnement de cette glande est indispensable au développement du cerveau. Une fois le diagnostic fermement établi, l'hormone déficiente est compensée par quelques gouttes d'hormone « médicamenteuse » (une goutte quotidienne par kilo de poids). Et le cerveau du nourrisson, puis du jeune enfant, se développe normalement.

Les caisses d'assurance maladie, dans les pays occidentaux tout au moins, exigent que ces tests soient pratiqués et les prennent en charge. Le rapport coût/bénéfice a été calculé à différentes reprises : chaque année, dans notre pays, quelques centaines d'enfants ne seront plus des « arriérés profonds » mais présenteront un fonctionnement cérébral normal. Parier sur ce résultat pouvait sembler osé. Les années qui suivirent ont apporté la preuve que l'entreprise était largement justifiée.

Ainsi, contre vents et marées, le cerveau du fœtus, celui du nouveau-né, du nourrisson, de l'enfant, bien construits, bien développés à partir de leurs quarante-six chromosomes par noyau cellulaire, ayant subi tous les tests cérébraux dont on dispose pour eux et qu'on a déclarés normaux, bien affrétés et bien avitaillés, aimés, cajolés, « peaufinés », abordent le grand large sous de bons auspices.

Pas tout à fait toujours car une panne peut survenir, sans alerte préalable. Pourquoi cette panne ? Dispose-t-on d'une riposte ? Quelles seront les suites de l'accident ? Les neurones du cerveau sauront-ils « repartir » et rattraper leurs congénères ?

Les pannes

Nous avons vu à l'instant qu'un cerveau réagit aussitôt à toute perturbation de son alimentation en glucose aussi bien qu'en oxygène. Le cerveau réagit très vite à tout obstacle, à toute rupture intervenue sur le réseau de ses artères. Car celles-ci ne sont pas garanties à toute épreuve. Il arrive qu'elles se rompent du fait d'une anomalie congénitale (anévrismes, angiomes) ou du fait d'une pression artérielle trop élevée qui les distend. L'accident le plus grave de l'hypertension artérielle généralisée est bien la rupture d'une artère intracérébrale. C'est l'ictus, le *coup* en latin, l'attaque, l'accident vasculaire cérébral (AVC) : chute brutale, coma immédiat et respiration bruyante, paralysie d'une moitié des muscles du corps, qu'on remarque à l'asymétrie du visage, à la bouche dont un coin s'abaisse. Cet accident est moins fréquent aujourd'hui où les hypertendus sont mieux décelés, mieux prévenus et mieux traités. Le « défaut d'alimentation », le coup, ou le *stroke* en anglais a justifié à l'étranger et maintenant dans notre pays la construction dunités spécialisées où ces patients sont réunis et traités. C'est un progrès.

Les plus spectaculaires des pannes motrices sont de toute évidence celles décrites plus haut. Selon la localisation du vaisseau interrompu, ou rompu, les signes peuvent être différents, mais les causes restent les mêmes : malformations du vaisseau, hypertension artérielle, ou bien athérome (du grec *athêra*, « bouillie de gruau ») : une plaque de cholestérol calcifiée, présente dans la fourche des artères carotides, se détache et bloque le vaisseau en aval.

Les pannes de mouvement se décèlent à différents symptômes : pendant un court instant, le patient a perdu l'usage d'une jambe et d'un pied qui sont comme engourdi ; ou bien, sous les yeux de son entourage, le coin de ses lèvres, d'un seul côté, va s'abaisser brusquement ; ou bien le neurologue, comparant d'un côté à l'autre la vigueur d'une poignée de main, va déceler une différence nette au détriment d'un des deux côtés. Ces troubles légers sont appelés parésie. Un degré de plus et c'est la « plégie », c'est-à-dire la franche paralysie flasque de l'hémiplégie, si fréquente.

Les pannes d'information périphérique peuvent constituer une anesthésie d'une moitié du corps (droite ou gauche). Surdité « corticale » : le patient entend, il n'est pas sourd, mais il n'identifie pas les bruits. Cécité « corticale » : si difficile à analyser, si mystérieuse.

On nomme apraxies les pannes du savoir-faire technique. Le patient devient incapable de procéder à un geste familier mais volontaire : signe de croix, salut militaire, pied de nez, etc. Et pourtant, il n'est pas paralysé, il ne présente aucune anomalie de la sensibilité superficielle ou profonde. Il ne sait plus s'habiller seul, dessiner une marguerite, un bonhomme, un cube en trois dimensions.

Parmi les pannes de communication, on continue de la façon la plus simple de distinguer deux types d'aphasie : l'aphasie motrice, où l'intelligence est conservée, la compréhension est conservée, y compris celle des mots, mais le malade ne sait plus émettre (le malade présenté à la Société de médecine de Paris par Broca en 1862 ne savait prononcer que ces mots : « Sacré nom de D... ! ») ; et l'aphasie de Wernicke (provoquée le plus souvent par des lésions d'origine vasculaire au niveau du carrefour cortical temporo-pariétal), d'un bien autre aspect : il n'y a pas de troubles d'articulation des mots. Le patient parle beaucoup mais ce qu'il dit est totalement incompréhensible. Les ordres même simples ne sont plus compris. Il ne sait plus lire.

Lors des pannes du jugement et de la raison, la souffrance, le déficit des neurones corticaux des lobes frontaux et surtout préfrontaux ne peuvent être que tristement spectaculaires : la famille, les amis, l'employeur sont rendus inquiets par les négligences, les oublis, les erreurs, les fautes grossières lors du comportement professionnel. Le malade ne se rend pas compte de ces déficits, reste content de lui et conserve une façade surprenante. Il est gai, insouciant, envisage avec euphorie des projets étonnants. Un délire est surimposé parfois : il est roi, empereur, sa richesse n'est pas mesurable ; ou, à l'inverse, il se croit gravement malade. Selon lui, il n'a plus d'œsophage, plus d'intestins, plus de rectum. Il a perdu le respect de soi, libère des instincts primitifs, néglige sa tenue, urine partout sans pudeur, se montre grossier dans ses propos et glouton à table. Ces signes sont parmi ceux d'une démence préfrontale. Nous retrouvons certains d'entre eux comme prémices d'une maladie d'Alzheimer.

Les accidents et les maladies

Lors des accidents, qu'elle se brise ou qu'elle résiste, la boîte crânienne violemment heurtée transmet au cerveau les ondes de la commotion. Un coma immédiat ou retardé peut survenir, léger ou profond. La perte de connaissance sera brève ou très prolongée, posant dans cette éventualité la déchirante question d'un électroencéphalogramme plat et de l'arrêt ou non de la « machine ». Si le mésencéphale, centre de la vigilance, ou le bulbe rachidien, chambre des machines, sont lésés, les fonctions vitales seront menacées : il faut alors placer une sonde dans le larynx, voire pratiquer une trachéotomie pour assurer une ventilation pulmonaire de secours.

Les infections par certains parasites, certaines bactéries, certains virus, reculent du fait de l'apparition quasi incessante de nouveaux antibiotiques et de nouveaux vaccins : disparition presque totale de la poliomyélite (dans le monde occidental), moins d'encéphalites de la rage (virus stabilisé ou en retrait là où l'on peut le suivre chez des renards électroniquement pistés). On peut espérer que des greffés (hypophyse, cornée) ne succomberont plus à la maladie de Creutzfeldt-Jakob, maladie d'origine virale, proche de l'encéphalite des « vaches folles » comme la presse l'a baptisée. Reste malheureusement le virus du sida qui s'attaque aux lymphocytes, garants de notre immunité. Des malades meurent qui sont tués par des abcès cérébraux causés par des bactéries étrangères au sida lui-même. Chez tous les sujets à immunité normale (séronégatifs), les lymphocytes tiennent à distance ces germes-là habituellement inoffensifs et que l'on dit opportunistes.

L'intoxication par l'oxyde de carbone tue plusieurs centaines de personnes chaque année en France. Il ne s'agit plus d'une narcose mais d'une asphyxie par l'oxyde de carbone bloquant l'hémoglobine (par formation de carboxyhémoglobine) et l'empêchant, comme Claude Bernard l'avait montré en 1860, d'apporter l'oxygène aux tissus. S'agissant du cerveau, plus particulièrement vulnérable à la baisse de pression de ce dernier, l'anoxie entraîne très vite des dégâts cellulaires irréparables. C'est assez dire que le devenir du comateux dépend du délai de sa soustraction à l'atmosphère empoisonnée et de la précocité des soins administrés. L'oxygénothérapie immédiate, intensive et prolongée, est la première condition du succès. Les lésions des cellules du tronc cérébral s'expriment par le dérèglement thermique, les sueurs, l'encombrement bronchique, l'hypertonie musculaire. La mortalité reste élevée. Même réveillé, l'accidenté (ou le suicidant) n'est cependant pas toujours tiré d'affaire. Parfois, après quelques semaines libres de désordre apparent, les destructions cérébrales définitives (nécrose des corps striés, disparition de la couche III du cortex cérébral et de la myéline sous-corticale) vont se manifester par un délabrement physique et intellectuel irréversible.

L'hypertension intracrânienne entraîne une souffrance cérébrale. Il existe normalement une adaptation étroite entre le contenant (crâne) et le contenu (cerveau et cervelet). Tout l'espace est occupé. Un hématome suintant de la rupture d'une artère méningée (entre l'os et la méninge dure : hématome extradural) ou de la rupture d'une artère plus profonde (hématome intracérébral), une tumeur cérébrale bénigne ou maligne vont entraîner le recours à un neurochirurgien qui, après avoir localisé l'anomalie par le scanner ou la résonance magnétique nucléaire (RMN*), envisagera son extirpation après trépanation.

Les tumeurs bénignes seront tolérées des années, les tumeurs malignes provoqueront une souffrance cérébrale « parlante », et cela très vite. Car si, chez les enfants, la disjonction des sutures est possible et spectaculaire lorsque la pression monte à l'intérieur de la boîte crânienne, l'adulte ne dispose plus d'une telle élasticité et les céphalées, les vomissements, l'obnubilation, la confusion parfois, attireront tôt l'attention de l'entourage. Le cerveau se plaint et fuit, cherchant une issue là où il le peut, vers le trou occipital par exemple où il pousse sur le cervelet qui s'y engage en partie, écrasant le bulbe rachidien avec les redoutables conséquences que l'on imagine.

Pourquoi l'usure ?

Le vieillissement

Le vieillissement cérébral conditionne la qualité de la longévité (troisième âge ? quatrième âge ?). Nous avons tous connu des nonagénaires (voire des centenaires) à la mémoire intacte, et à la repartie vive. Leurs cerveaux, à l'analyse, présentaient certes une raréfaction des neurones, des « plaques séniles », mais le reste n'était pas en si mauvais état, les artères, grandes et petites, notamment. La formule célèbre « on a l'âge de ses artères » est bien vraie. En particulier le tabagisme provoque leur vieillissement précoce et dangereux. Parfois même, certaines artères (par exemple l'aorte et ses branches) sont obstruées, obligeant à l'amputation d'orteils et de membres, à des pontages cardiaques chez de « grands » fumeurs relativement jeunes à l'état cérébral intact.

La génétique peut se trouver plus impliquée que l'environnement, et cela à l'autre extrémité de la vie : en quelques années, un enfant va devenir un grand vieillard et mourir de cette sénescence : les pédiatres parlent de *progeria* (en latin, « comme s'il s'agissait d'un vieillard»). Ils naissent avec une peau très fine, sans graisse entre peau et muscles. Leurs cheveux sont clairsemés, blanchissent et tombent presque aussitôt. Vers dix ans, un athérome artériel ou une hypertension apparaissent tels que je les ai évoqués un peu plus haut à propos d'adultes mûrs. Les fillettes ne seront jamais réglées, les testicules des garçons s'atrophient. Puis on remarque une cataracte, l'enfant devient sourd, puis dément. Tout cela en moins de vingt ans. Le gène coupable de ce vieillissement précoce, de cette usure très prématurée des organes, et notamment du cerveau, est traqué par les généticiens. Il est exceptionnel.

Entre ces rares démences «pédiatriques» et les démences «séniles» dites encore presbyophrénies (littéralement «cervelles de vieux»), on qualifie de présénile l'usure prématurée de certaines parties du cerveau. Elles atteignent des sujets entre quarante et soixante ans, en pleine activité professionnelle, et certaines d'entre elles sont malheureusement héritables. Elles sont suffisamment fréquentes pour que les malades qui en souffrent et leur famille s'unissent dans notre pays (comme dans d'autres) en associations pour soutenir la recherche médicale dans le secteur qui les touche particulièrement (Association France-Alzheimer; Association Huntington de France; Association France-Parkinson). Les parkinsoniens se regroupent et mettent en commun leurs problèmes d'adaptation et de médication, les familles de chorée de Huntington demandent de plus en plus à savoir qui sera frappé ou non dans leurs rangs par la maladie.

Les familles au sein desquelles la maladie d'Alzheimer atteint l'un des leurs cherchent conseils et réconfort auprès de leur propre association.

Le terme de présénile reste vague, et certaines personnes sensibles le rejettent : on est vieux ou on ne l'est pas. Ils méconnaissent le phénomène de la dépopulation progressive de certaines structures du cerveau indispensables à sa bonne marche. Il a bien fallu un jour s'entendre sur l'épithète. Depuis lors, les médecins utilisent le terme lorsque leur patient n'a pas encore passé le cap des soixante ans.

La maladie d'Alzheimer est une « démence présénile ». Il est anormal qu'un patient, homme ou femme de moins de soixante ans, présente les symptômes qu'un public averti connaît bien : que penser en effet de cette femme de cinquante-cinq ans, en conversation avec des proches, qui dit à son mari qui vient de raconter par le menu dix ans de ses fonctions d'administrateur dans un pays du Maghreb : « Mais, mon ami, tu sais bien que nous ne sommes jamais allés dans ces pays ! » Chez un autre couple, le conjoint au réveil dit à sa conjointe : « Mais, madame, que faites-vous dans mon lit ? Je ne vous connais pas... » La maladie est avant tout une amnésie, souvent brusque, malheureusement définitive, sur telle ou telle période de la vie. Lorsque l'on s'aperçoit, bien vite, qu'il ne s'agit pas d'une plaisanterie de mauvais goût, le médecin a le droit d'être inquiet. Mais les désordres peuvent être plus progressifs, et plus longtemps méconnus : des oublis ou des erreurs sont remarqués par l'entourage professionnel du patient. Et pourtant, celui-ci n'en

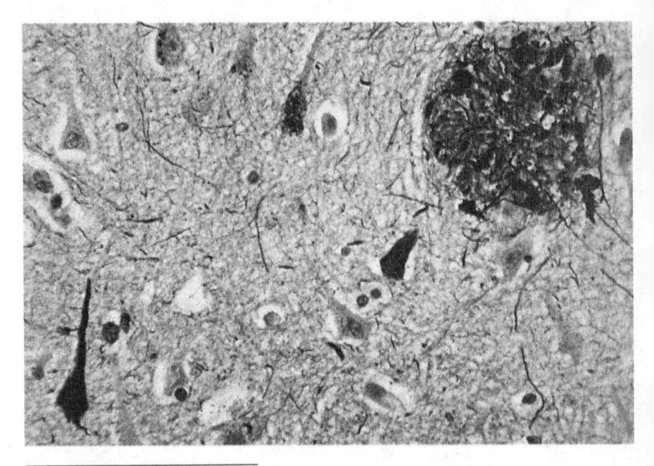

Maladie d'Alzheimer. *Ces photos ont été prises au microscope classique, lors de l'autopsie d'un cerveau humain. On distingue clairement, sur la photo de gauche, une plaque*

convient pas et les nie en bloc. Un médecin averti s'aperçoit que son consultant utilise un mot pour un autre, oublie dans ce qu'il écrit des mots entiers ou les déforme. Des épreuves particulières mettront en évidence que les mêmes défaillances sont apparues dans le calcul mental, dans la reconnaissance des visages des parents, des amis. Le malade ne sait plus dessiner un cube en trois dimensions. Il est désorienté, ne retrouve pas le trajet qui le mène habituellement d'une pièce à l'autre. Il part pour quelques courses dans le quartier en laissant le gaz allumé. Les voisins de l'immeuble, lorsqu'ils l'apprennent, sont inquiets. Et pourtant, une façade sociale correcte, trompeuse, restera longtemps conservée.

amyloïde en haut à droite, avec un amas de neurones détruits. Sur la photo de droite, on note la destruction, en « fils de fer barbelés », des axones sous l'aspect de neurofibrilles. Ph. © DR.

En 1988, les chercheurs américains ont obtenu des membres du Sénat une enveloppe de subventions fort conséquente tout en élisant un directeur des recherches en ce domaine, coordonnateur unique pour que toute découverte soit aussitôt enregistrée et communiquée à l'ensemble des laboratoires du pays. Les mauvaises langues prétendent que le rapporteur affirma qu'un dixième des sénateurs présents ce jour-là (d'une moyenne d'âge oscillant entre l'âge présénile et celui qui annonce la vraie vieillesse) couraient le risque d'être atteints de ce terrible mal.

Dans une même famille ce mal reste, dans la majorité des observations, isolé. Aucun descendant d'un malade n'est atteint. Seule la famille patiemment étudiée par Foncin (1983) est digne de figurer comme une exception, hors du commun. Le foyer d'origine de la maladie est situé en Italie du Sud. Le premier cas, inscrit sur des registres médicaux, est très ancien. Les migrations aux USA et en France ont permis de reconstruire à partir de lui une remarquable généalogie sur dix générations avec mille quatre cent trente-cinq sujets étudiés *a posteriori*.

Les lésions révélées par des malades de la génération la plus récente sont celles-là mêmes qu'Alois Alzheimer décrivit en 1906 pour différencier cette affection cérébrale fréquente des autres démences (démences sénile, vasculaire, post-traumatique, postinfectieuse, etc.). Sans entrer dans le détail, disons que les lésions vues sous le microscope sont tout à fait spécifiques. Celles des neurones de l'hippocampe meurent d'une façon très particulière : leur structure agonisante ressemble à un fragment de « fils de fer barbelés », là où couraient normalement des neurofilaments et des microtubules parfaitement normaux. Des plaques rouges ou rosées, lorsqu'elles sont colorées au laboratoire d'une façon spécifique, parsèment cette région du cerveau avant d'en gagner d'autres. La substance anormale qui cimente ces plaques se dépose dans la paroi des vaisseaux cérébraux. C'est une protéine dont la découverte a permis d'amorcer des recherches dont l'issue reste encore relativement indécise. L'opinion selon laquelle la mutation d'un gène situé sur le chromosome 21 serait à l'origine de la synthèse de cette protéine est fondée sur le fait indéniable que des trisomiques 21 âgés de plus de quarante ans connaissent parfois, vers la fin de leur vie, des troubles du comportement et des lésions cérébrales qui évoquent la maladie d'Alzheimer. Mais déjà des équipes de recherche concurrentes placent sur un autre chromosome que le numéro 21 la source de la synthèse de la molécule anormale. Des congrès répétés, nombreux, ont été réunis sur ce sujet dans le monde entier.

L'urgence d'un traitement efficace, « ciblé », est évidente. La mise au point d'une molécule thérapeutique valable l'est aussi. La recherche a cessé de se perdre en chemin, d'impasses en erreurs. Cette recherche médicale appliquée est subventionnée.

Il est certain qu'on pourra à moyenne échéance bloquer le développement des lésions puisqu'on les connaît, non seulement sous le microscope, mais aussi par l'importance des données réunies par les neurochimistes sur cette protéine qui tue avant l'heure des neurones du cortex humain.

La chorée de Huntington est une maladie toujours héréditaire. Nul ne l'a mieux décrite que celui dont elle porte le nom, George Huntington, qui écrivait en 1872, alors jeune étudiant en médecine, dans un article d'une revue aujourd'hui disparue : « Me promenant à cheval avec mon père médecin au cours de ses tournées [...] je traversais une route boisée. Nous nous trouvâmes brusquement en présence de deux femmes, mère et fille, toutes deux presque cadavériques, se courbant, faisant des entorses et des grimaces. Je restai abasourdi, presque apeuré. Que cela pouvait-il être ? Mon père s'arrêta pour leur parler, puis poursuivit son chemin. »

Le jeune Huntington reconstitua la généalogie de ces deux femmes. A Long Island, près de New York, il étudia et put rassembler des informations précises sur cette malheureuse famille, sur trois générations. Il écrivit alors ceci : « La chorée héréditaire, comme je l'appellerai, concerne heureusement peu de familles, et leur a été transmise en héritage de génération en génération depuis un passé obscur. Ceux qui savent que les semences de la maladie existent dans leurs veines en parlent avec une sorte d'horreur et n'y font allusion en aucun cas, excepté en cas d'affreuse nécessité.

« Elle se manifeste avec les symptômes d'une chorée commune, mais à un degré sévère, apparaît à l'âge moyen et s'installe désormais graduellement mais sûrement pendant des années jusqu'à ce que le malheureux patient devienne l'épave tremblante de l'être qu'il a été. Si l'un des parents a montré des manifestations de la maladie, un ou plusieurs descendants presque invariablement souffrira de ce mal, s'ils vivent jusqu'à l'âge adulte. Mais si, par chance, des descendants traversent leur vie entière sans présenter de signes, le fil casse et les petits-enfants et les arrière-petits-enfants du trembleur originel peuvent dormir tranquilles, assurés qu'ils sont de ne jamais être frappés par le mal. Quelque insensibles et bizarres que puissent être parfois d'autres aspects de cette maladie, il est tout à fait certain qu'elle ne saute jamais une génération pour se manifester dans la suivante. Lorsqu'elle abandonne ses droits, elle ne les reprend jamais [...]. Je n'ai jamais vu un malade guérir ou même être amélioré. Cela est si bien connu du malade

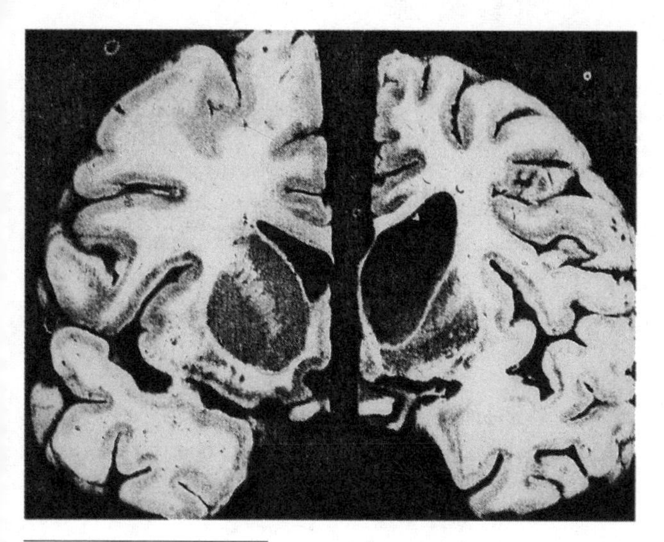

Chorée de Huntington.
Sur cette photo ont été associés deux demi-cerveaux « recomposés ». A gauche : hémi-cerveau normal avec un ventricule de taille normale. A droite : hémi-cerveau d'un malade décédé de chorée de Huntington. La disparition presque totale du noyau caudé est comblée par l'accroissement très net du volume du ventricule cérébral.
Ph. © DR.

et de ses amis que l'avis d'un médecin est rarement sollicité.

« La tendance à la folie et quelquefois à cette forme de folie qui mène au suicide est marquée. Lorsque le mal progresse, les facultés déclinent et le corps et l'esprit s'effondrent progressivement jusqu'à ce que la mort survienne, apportant avec elle la délivrance. »

Cette description plus que centenaire n'a pas une ride. Tout y est consigné : le caractère « sévère », les symptômes (chorée est dérivé de *khorein*, « danser »), l'horreur des familles devant la « tare » et leur grande réserve à en parler, le destin inégal des différentes branches, les lois mendéliennes de la dominance (avec un sujet porteur du gène pour un autre indemne et cela sans jamais de saut de génération), l'âge quasiment constant auquel débutent les troubles dans une même famille, le suicide fréquent et la mort à l'état grabataire.

Les études génétiques modernes ont confirmé les faits : isolement du gène muté responsable à l'extrémité du bras court du chromosome 4 ; confirmation que la zone la plus frappée par la « dépopulation neuronale » réside dans le noyau caudé, au sein de la zone la plus profonde du cerveau, efficacité transitoire de certaines médications neuroplégiques ou tranquillisantes. On peut maintenant, si chaque membre de la famille y est entièrement disposé, affirmer que tel sujet jeune et apparemment normal porte le gène qui désormais va se déclarer immanquablement avec les signes et comportements terrifiants qu'il provoque à un âge donné. Le clinicien fera le diagnostic, le biologiste moléculaire découvrira ou non la présence du gène muté. Dans le premier cas, sera alors assuré le suivi sociopsychologique des malades et des futurs malades qui verront les signes qu'ils connaissent bien apparaître chez leurs collatéraux ou leurs enfants. Quant aux conjoints, ils se demandent parfois en quel enfer ils sont tombés et il arrive qu'ils s'en éloignent par le divorce.

La maladie de Parkinson se manifeste très progressivement vers la soixantaine, par des troubles moteurs : le malade devient akinétique, c'est-à-dire qu'il perd peu à peu ses initiatives dans le domaine du mouvement. Un œil tant soit peu exercé perçoit vite la perte du balancement automatique des bras lors de la marche, l'attitude semi-fléchie vers l'avant du tronc, la mimique qui va se figeant. Le tremblement parkinsonien est très particulier : il se manifeste même au repos et s'atténue lors d'un geste intentionnel. Il prédomine aux mains, le patient esquissant involontairement le geste d'émietter du pain, de compter des pièces de monnaie. La fatigue, les émotions aggravent ce tremblement.

La dépopulation neuronale est flagrante dans le *locus niger* (ou *substantia nigra*) qui perd sa teinte noirâtre, car la mélanine qu'il contenait s'est évanouie avec les neurones perdus. Cette structure contrôle les mouvements, à l'instar du cervelet (mais d'une autre manière), et joue un rôle déterminant dans leur souplesse. On a pu écrire qu'après plusieurs années le malade apparaît comme « statufié ».

Les neurones du *locus niger* sécrètent de la dopamine, indispensable notamment au développement normal de tout acte dynamique. On les dit « dopaminergiques ». La dopamine est un neurotransmetteur* déversé dans certaines fentes synaptiques (nous y reviendrons). Oliver Sacks en 1969 raconte comment l'administration de l-dopamine transforma miraculeusement les parkinsoniens qu'il avait charge de soulager. Malheureusement, après quelques mois ou quelques années, l'effet bénéfique s'épuise.

L'idée de la greffe neuronale est venue aux chercheurs. Elle consiste à prélever sur le malade des cellules « empruntées » à l'une de ses surrénales, qui puissent, une fois injectées, se développer au sein des cellules du *locus niger* et fournir à nouveau une sécrétion de dopamine suffisante pour stopper sa défaillance. Cette « transplantation » a connu quelques succès, mais aussi des échecs. Toutefois, les neurochirurgiens qui transplantent aussi des neurones à dopamine d'autre origine que surrénalienne ne sont pas pessimistes. Et leur combat, alors que la pharmacopée classique piétine, doit être suivi de près et encouragé.

Les défaillances

Les neurosciences sont ainsi faites qu'elles ont privilégié un clivage obligé, mais « amical », entre une neurologie « sèche » et une neurologie « humide », complémentaires par ailleurs. La première attire et réunit des chercheurs en physique fondamentale qui en ont maîtrisé les techniques (recherche des potentiels évoqués, visuels et auditifs, RMN, marquages radioactifs, etc.). La seconde a su intéresser des biochimistes et dans leur sillage des neuropharmacologistes curieux d'étudier le fonctionnement normal et anormal des canaux ioniques (orifices de la membrane permettant la circulation des ions) dont dispose le neurone, et du contenu moléculaire des synapses. En dépit des progrès enregistrés au sein de ces deux groupes de disciplines, pourtant proches, nous sommes encore loin de tout comprendre de ce qui crée la plupart des maladies neurologiques ou psychiatriques et, de ce fait, de leur opposer « scientifiquement » un traitement durable et définitif.

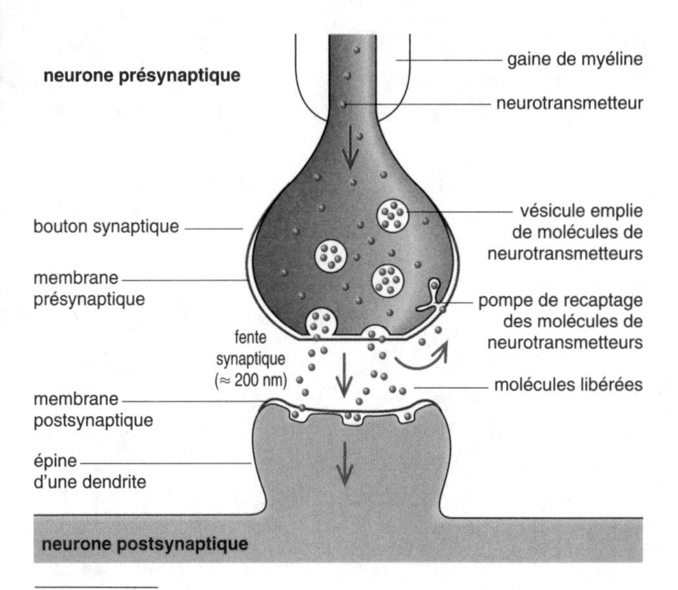

La synapse.
La fente synaptique reçoit du neurone d'amont des vésicules qui déversent en elle leur contenu de neurotransmetteurs, excitant ainsi les récepteurs sur le neurone d'aval. Le surplus des neurotransmetteurs est recapté.

Ce qui me frappe, c'est le fait que certains cerveaux puissent vivre sans défaillir au-delà des limites habituelles de la longévité moyenne. Ces cerveaux séniles mais fiables portent en eux le secret d'une autorégulation exceptionnelle. Cela suppose une génétique sans défaut, une synthèse des protéines et autres enzymes sans faille. Morphologiquement, la fente synaptique, et chimiquement toutes les molécules qu'elle reçoit et doit évacuer (réception, recaptage, adressage au neurone d'aval), forment un merveilleux appareil, recueil et lieu de passage de milliards de molécules, neurotransmetteurs et neuropeptides* qui sont à la source de nos humeurs et de nos comportements.

Au fil des jours s'accumulent ainsi des molécules dans les boutons terminaux de l'axone. Il existe une dizaine de types de ces neurotransmetteurs. Voyons les principaux :

L'acétylcholine joue un rôle capital au niveau de la jonction « extrémité d'un neurone moteur → muscle ». L'ordre donné vient du cortex. La réponse est dans la contraction du muscle qui crée le mouvement. Mais ce neurotransmetteur intervient dans d'autres domaines très différents, peut-être chez les patients frappés de la maladie de Huntington.

La noradrénaline est le neurotransmetteur mobilisé pour la vigilance et la réaction au stress. Il existe des voies adrénergiques, ce qui signifie que leurs neurones sont spécialisés dans la production de cette molécule. Une très forte concentration des cellules adrénosécrétrices existe au plus profond de nos glandes surrénales. Le public instruit de cette situation emploie indifféremment des expressions telles que « vider ses surrénales » ou « décharger son adrénaline ». Ces sentiments ou sensations cadrent assez bien avec ce qui se passe réellement dans certaines circonstances.

La dopamine (elle-même ou ses dérivés) est la molécule clé du traitement de la maladie de Parkinson. Parmi les voies dopaminergiques (qui produisent de la dopamine), le *locus niger* est le lieu le plus fourni en neurones qui la sécrètent. Ces voies jouent un rôle essentiel dans l'harmonisation des mouvements complexes et dans la régulation de l'humeur.

La sérotonine et les voies sérotoninergiques sont les régulateurs du cycle veille-sommeil. Leurs neurones adressent leurs axones à l'hypothalamus et au cerveau antérieur. Chez le rat, leur destruction expérimentale ou leur blocage par des molécules antisérotoninergiques causent une insomnie mortelle en quelques jours.

Le GABA *(gamma butyric acid)* est la molécule qui dit «non». Jusqu'ici, j'ai cité seulement des neurotransmetteurs «excitants» ou «facilitants». Celui-ci est un «bloquant», un frein pour les neurones auxquels il s'adresse, maîtrisant tout emballement de leurs fonctions, notamment au cours des attaques d'angoisse ou de panique, et aussi des crises d'épilepsie. De nombreux tranquillisants qu'on peut obtenir dans le commerce renforcent encore son action. L'un d'entre eux est en tête de la liste des médicaments consommés par les Français, ce qui en dit long sur le réglage défectueux ou fragile de la production neuronale, ou jugé tel par le consultant et son médecin, non-psychiatre le plus souvent.

Le recours au spécialiste sera nécessaire lorsque le dérèglement de l'humeur est plus grave. Je veux parler d'abord de la psychose maniaco-dépressive heureusement sensible dans la plupart des cas à l'administration soigneusement surveillée de lithium, molécule très simple dont le mode d'action n'est pas encore, de nos jours, parfaitement élucidé. Les anciens auteurs appelaient cette maladie la «folie circulaire». A mon sens, la meilleure dénomination serait «maladie maniaco-dépressive », car parler de psychose comme on le fait encore pour la schizophrénie afin d'opposer ces affections aux névroses ne se justifie plus.

Comme il fallait s'y attendre, furent décrits ensuite des cas « mixtes » qui ne cadraient pas avec une classification jugée trop contraignante. Le terme de « psychonévrose » (*border-line* des Anglo-Saxons) fut alors créé qui se révèle parfois utile.

La maladie maniaco-dépressive est, comme bien d'autres, une maladie « à risque génétique » et de nombreux laboratoires travaillent à isoler le (ou les) gène(s) qui sont à la source de cette affection fréquente. Elle concerne le fonctionnement des neurones régulateurs de la thymie, c'est-à-dire le niveau de l'humeur. Les moments d'inversion de l'humeur sont courants chez chaque être humain ; comme le dit tout un chacun, on s'est levé du bon (ou du mauvais) pied. En termes plus savants, on parle de « cyclothymie ». Le malade maniaco-dépressif, lui, alterne l'expression de symptômes très caractéristiques, et cela spontanément, sans cause extérieure provocatrice évidente : les accès « maniaques » avec agitation, euphorie trompeuse, parfois colères et agressivité avec violences verbales ou gestuelles difficiles à maîtriser, et les accès « mélancoliques » avec une dépression qui peut être des plus sévères. Le patient refuse alors de s'alimenter, de se déplacer, et reste, au sens propre de l'expression, replié sur lui-même. Il témoigne par ses dires d'une profonde détresse morale, s'accusant de péchés qu'il n'a pas commis. Ces deux formes de crise (manie et mélancolie) sont séparées par des périodes parfois très longues d'excellent équilibre psychique qui autorisent des études ou des expériences professionnelles prolongées permettant éventuellement l'accès à des situations de haute responsabilité, surtout si la maladie est sensible au lithium et sous réserve que le malade suive très régulièrement le traitement prescrit. Un arrêt brusque de celui-ci entraîne fréquemment une rechute quasi immédiate. Le taux sanguin (dosage de la lithémie) doit être contrôlé avec soin à intervalles rapprochés. Comme l'écrit Édouard Zarifian, « un état dépressif non lié à une maladie maniaco-dépressive ne devrait pas être soumis au lithium ».

Le terme schizophrénie a été créé en 1911 par le psychiatre suisse Eugen Bleuler pour remplacer celui de démence précoce. Ce dernier, appliqué à de grands adolescents ou de jeunes adultes, signifiait que leur cerveau était définitivement altéré sans le moindre espoir d'amélioration et, à plus forte raison, de guérison. Les troubles sont d'une autre nature que ceux par exemple de l'angoisse ou de la dépression : comportement bizarre, étrange, incohérent, inadapté aux circonstances ; épisodes de froideur et d'indifférence coupés d'accès d'impulsions haineuses ; discordance de l'humeur avec brusques éclats de rire sans motifs ; longues méditations perplexes devant le miroir ; attitudes catatoniques longuement figées dans la même position. Hallucinations plus souvent auditives que visuelles : le patient entend une voix intérieure qui l'insulte, lui dit des obscénités, lui donne des ordres. Il a l'impression qu'on vole sa pensée, qu'on la téléguide. La vie psychique se fragmente. L'évolution est variable (et j'insiste sur le fait que la guérison est possible). Malheureusement, beaucoup de patients se retirent de toute communication : c'est l'autisme. Ou bien ils délirent en permanence, de façon extravagante, absurde. Ou bien ils sombrent dans la détérioration intellectuelle progressive signant une atrophie du cerveau que les techniques modernes de l'imagerie (scanner, RMN) montrent à l'évidence.

Les classifications, notamment celles de la DSM américaine *(Diagnostic Statistical Manual of mental disorders)*, tentent d'isoler des sous-groupes dans le lot des psychoses schizophréniques. C'est dire que la recherche des facteurs biologiques, éventuellement génétiques, commence à peine. On a proposé, par exemple, une « théorie dopaminergique de la schizophrénie » : les schizophrènes auraient un niveau de fonctionnement anormalement élevé du relais chimique assuré par la dopamine.

L'autisme infantile (ex-schizophrénie précocissime) ne connaît pas cette période d'équilibre apparent de l'ex-démence précoce dont il a été ci-dessus question, compatible avec une scolarité secondaire, voire supérieure, quasi régulière avant que ne se déclarent les premiers troubles.

L'article de Léo Kanner qui isole définitivement l'autisme infantile ne date que de 1943. Il est publié dans la revue *Nervous Child* sous le titre : « Perturbations autistiques du contact affectif. » Les critères d'inclusion proposés par cet auteur ont été retenus presque mot pour mot, un demi-siècle plus tard, dans la dernière édition de la *Classification internationale des maladies* dressée et tenue à jour par l'Organisation mondiale de la santé (OMS). Les premiers signes du handicap sont présents bien avant l'âge de deux ans pour ceux qui savent les remarquer. Malheur à ce nourrisson au regard dur et qui pleure quand on le prend dans les bras. Plus tard, il n'aura aucune réaction vis-à-vis de qui veut jouer avec lui ou l'intéresser à un objet. On a l'impression qu'un mur invisible l'entoure. Jusque vers trois ans, il ne prononcera pas un mot, à telle enseigne qu'on croira parfois à une surdité qui n'existe pas. Ses centres d'intérêt sont restreints et monotones. L'enfant poursuit le même jeu, en s'isolant pendant des heures. Il refuse de participer à une quelconque activité de groupe. Si l'on insiste, il crie et se roule à terre. Lorsqu'il commence à parler, c'est de façon répétitive, mal à propos. Il psalmodie, se cogne la tête, saute sur place de façon frénétique en battant des bras. Le temps sera long avant qu'il apprenne à s'habiller, à manger, à se laver. Des rituels vont s'instaurer dont il ne faudra plus dévier sous peine d'accès de colère avec bris d'objets.

Pourtant, l'intelligence n'est pas forcément déficiente, tout au moins celle que révèlent les tests classiques d'évaluation. Mais la réussite est inégale, fragmentaire. Les possibilités en calcul mental, les performances de la mémoire étonnent parfois. Dans les limites de ses capacités, un autiste peut acquérir langage, savoir-faire social, apprentissages techniques ou artistiques, au prix de l'immense dévouement et de l'esprit de sacrifice des siens et sous réserve de l'appui de psychiatres et de psychologues expérimentés.

Fort heureusement, le temps n'est plus de ces Fouquier-Tinville de l'hygiène sociomentale, comme les a nommés Cyril Koupernik, « qui n'ont jamais eu l'occasion de tenir dans leurs bras un enfant autistique qui évite le regard ». Pendant des années, ils ont culpabilisé les parents, la mère surtout, jugés incapables d'aimer leur enfant et coupables d'avoir provoqué l'autisme, alors qu'on ne sait toujours pas ce qui l'engendre. Le cas est généralement isolé dans la famille. La piste génétique n'est donc pas à privilégier dans la recherche d'une origine tissulaire des troubles créés dans le cerveau de ces malheureux enfants. Des études récentes faites en RMN montrent parfois un développement anormal de certaines parties du cervelet. Mais cette remarque demande à être confirmée.

Pourquoi le cerveau ?

En votre âme et conscience

Cette construction, étage après étage, ce lancement et ce voyage dans la vie, ce grand large attirant mais dont on sait qu'il est semé d'obstacles qu'il faudra contourner au risque de sombrer, sont le lot de tout cerveau humain. D. C. Dennet écrivait, en 1991 : « La conscience humaine est une innovation trop fraîche pour qu'on puisse l'enfermer dans une quincaillerie fabriquée par la génétique. » L'être qui va mourir est le descendant de mammifères qui ne savaient pas la mort. L'animal connaît la peur, peur des coups quand on est un chien, ou de l'eau quand on est un chat. Ces peurs-là sont instinctives, irraisonnées. Un cerveau humain raisonnable en tient compte et s'en détourne lorsqu'il le faut. Mais la peur de la mort le hante parce qu'il ne sait pas clairement ce qui l'attend au-delà. Il l'oublie ou fait semblant, en recherchant tout au long de son existence terrestre un bonheur parfait qu'il n'atteindra presque jamais. La démarcation la plus visible entre le cerveau humain et celui d'un autre mammifère est bien d'une part cette peur d'une « mort annoncée » qu'il exorcise dans des rites funéraires, d'autre part l'exploration des voies les plus diverses dans sa quête des plaisirs licites ou illicites.

Le rituel funéraire est apparu pour conjurer les forces de l'au-delà. L'homme ne craignait plus ni l'eau ni le feu. Restaient la voûte céleste, le soleil, la lune, les étoiles et surtout la foudre et la sécheresse. On retrouve toujours un ou plusieurs éléments dans les « religions » primitives. Les grands singes (hominiens) réagissent devant les cadavres de leurs congénères comme s'ils étaient vivants, jouant avec eux; puis, furieux de leur absence de réaction, ils les disloquent et les abandonnent. A l'inverse, il n'est aucune société humaine, sinon en période de guerre, de famine ou d'épidémie, qui n'entoure ses morts d'un cérémonial, si simple soit-il. Il y a cent mille ans, l'homme de Neandertal enterrait ses morts. Pour André Leroi-Gourhan, certaines cavernes du Magdalénien de Dordogne (datant de vingt mille ans, à l'apogée du Paléolithique supérieur) sont des sanctuaires sacrés et ornés, témoins de préoccupations religieuses et symboliques. On dépose, près de l'être enseveli, des fleurs, de la poudre d'ocre rouge, des armes, des outils. Un au-delà est assuré qui ne cessera plus. D'un côté, le cosmos et la souveraineté religieuse et politique venue du ciel; de l'autre, fécondité, travail, plaisirs terrestres avant que le « ciel ne nous tombe sur la tête ».

Quelques lignes extraites de la rubrique *« Correspondence »* de la revue *Nature* du 15 avril 1993 sont, me semble-t-il, passées inaperçues. Elles portent la signature de B. D. Josephson, chercheur au Cavendish Laboratory de Cambridge (Angleterre), au lieu même où fut élaboré et publié par James Watson et Francis Crick le concept fructueux et vrai de la structure en double hélice de la molécule d'ADN (acide désoxyribonucléique).

Que lisons-nous donc, quarante années plus tard, dans les mêmes colonnes? Que toute religion (déviants pathologiques exclus) a pour but, entre autres, de «maximiser» la bonté humaine. Il est affirmé dans cette lettre que le comportement religieux, lié au développement cérébral tel qu'il est loisible de l'étudier de nos jours, repose (en partie) sur des bases génétiques, les «gènes de la bonté» en quelque sorte, qui auraient favorisé par leur expression même l'intervention de la sélection naturelle.

L'auteur souligne, à propos du bouddhisme (mais ce concept pourrait être étendu de par le monde à d'autres croyances), que la charité, l'amour et la sagesse sont le fondement des religions actuelles. Foin des conflits entre pratiques religieuses et faits scientifiquement établis. En d'autres termes, faudrait-il revenir aux «funérailles d'antan» regrettées par Georges Brassens, au risque de se retrouver classé dans les rangs des ennemis du progrès?

Claude Lévi-Strauss déclarait en 1991 : «Le seul sentiment du sacré que je possède ou du moins ce que je m'imagine pouvoir ressembler à ce que d'autres appellent le sacré est né de la contemplation émerveillée d'une plante ou d'un animal. Donc tout ce qui menace leur survie, le maintien de leur diversité, j'en souffre, oui. » La survie du cerveau humain, telle est la question. Dans sa quête du bonheur pour émerger de la grisaille quotidienne, il a inventé, il y a bien longtemps déjà, des paradis artificiels : depuis la plus haute Antiquité, le cerveau humain s'est orienté vers la recherche et l'obtention de plaisirs « induits », et a découvert dans son environnement immédiat les substances d'origine végétale susceptibles de modifier son humeur dans le sens de son désir (accroître le courage des guerriers et juguler leur peur ; exacerber l'intelligence des décideurs de l'époque ; lutter contre la morosité, la dépression, l'angoisse ; inventer le dopage, en quelque sorte). Des fouilles en Éthiopie ont mis au jour des vestiges d'habitations construites il y a plus de cinq millénaires. Près des foyers noircis, on a découvert sous des pierres la cache « domestique » du chanvre indien, ou haschisch, utilisé plus tard par certaines sectes du Moyen-Orient, les « hashashins », dont dérive le terme plus moderne d'assassins. Ce poison végétal, bien décrit par Moreau de Tours dès 1842 dans un mémoire intitulé *Du haschisch et de l'aliénation mentale*, agit électivement sur les récepteurs du neurone d'aval qui sont présents dans l'hippocampe et certaines parties du cortex cérébral. La tomographie par émission de positons révèle des modifications du métabolisme cérébral dans ces zones particulières.

La variété à fleurs blanches du pavot d'Orient, *Papaver orientale*, fournit l'opium dont les chimistes ont su extraire des dérivés actifs, notamment la morphine et l'héroïne. Or, notre propre système nerveux central et plus particulièrement l'encéphale fabriquent et sécrètent en leur sein leurs propres calmants. L'histoire de la découverte de ces « endorphines » cérébrales (contraction des termes « morphine » et « endogène » qui signifie dans ce cas « né en soi-même ») mérite d'être contée. Des neurophysiologistes ont désiré comprendre où et comment la morphine (connue depuis 1803 et dénommée ainsi en souvenir du dieu grec Morphée qui présidait aux songes) agit sur le cerveau. Le raisonnement des chercheurs des années 70 était le suivant : puisque les neurones cérébraux captent la morphine (avec les effets analgésiques que l'on sait), le cerveau sécrète peut-être en lui-même, pour son propre compte, des substances voisines des morphiniques douées de propriétés comparables à celles de l'alcaloïde végétal naturel. Des neurochimistes isolèrent alors, en 1976, des substances qui furent d'abord baptisées « opioïdes » (« ressemblant à l'opium »), puis neuropeptides tels que les endorphines (« morphines de l'intérieur ») : leur conformation moléculaire est grossièrement commune à l'ensemble de celle des opiacées extraites du pavot d'Orient. Ce sont des molécules moins simples, plus lourdes que celles des neurotransmetteurs. Les neurones postsynaptiques de tous les vertébrés présentent à leur surface des récepteurs pour ces endorphines. Peut-être l'inégalité devant la douleur physique des humains s'explique-t-elle par la densité et la qualité des endorphines ou de leurs récepteurs neuronaux ?

Les Amérindiens connaissaient, bien avant l'ère colombienne, les vertus de la coca. Pour les Aymaras de Bolivie, *coca* signifie « arbre » ou « plante ». Au

XIe siècle, elle acquit en ces pays le statut de plante sacrée, créée par les dieux des Incas pour apaiser faim et fatigue. Sur place, dans les pays producteurs (Colombie, Pérou, Bolivie), les populations fument aujourd'hui, comme il en va de l'opium en Orient, une pâte dénommée « crack », mélange de feuilles séchées, de kérosène et d'acide sulfurique. Son sel, le chlorhydrate de cocaïne, est une poudre blanche qu'on peut inhaler (ou qu'on s'injecte dans une veine). L'effet euphorisant temporaire est lié à une inhibition des enzymes de recaptage de la dopamine au niveau de certaines synapses du « circuit du plaisir » décrit par Papez. Le neurotransmetteur maintient anormalement son action et ce mécanisme serait à l'origine du plaisir éprouvé et prolongé.

Les temps n'ont rien modifié quant au fond de ce comportement humain tragique. Quant à la forme, on a découvert des « médicaments » de synthèse dont l'utilisation poursuit des objectifs voisins, et l'usage simultané de toxiques végétaux différents, de molécules enivrantes (alcool, éther), hypnotiques et barbituriques, stupéfiants, hallucinogènes, amphétamines. Avec le temps s'est aussi mise en place l'exploitation économique et financière par la société de ces ressources, qu'on baptise ici trafic, là production nationale.

Les effets des drogues sont de nos jours expliqués par le siège et la puissance de leur impact sur les récepteurs cellulaires que j'ai évoqués plus haut à plusieurs reprises. Ces « drogues » ont en commun d'entraîner la tolérance puis l'accoutumance, obligeant à augmenter progressivement les doses ; d'entraîner la dépendance (le vocable « accro » est très évocateur). Le consommateur de drogue est devenu un malade cérébral.

Ainsi s'est ouvert un nouveau chapitre de la pathologie du cerveau humain : la psychiatrie humaine expérimentale. La réversibilité, jusqu'à un certain degré, est possible en centre de soins spécialisés dont l'objectif est le sevrage. Celui-ci comporte quelques risques, le plus connu étant par antériorité le délire *(delirium)* tremblant *(tremens)* lié à un sevrage brutal chez un alcoolique. Zola l'a parfaitement décrit dans une page de *L'Assommoir*. Melville, réalisateur du *Cercle rouge*, offrit à Yves Montand d'assumer une telle scène. Le drogué, brutalement sevré, « vit » son délire puisqu'il le croit réel. Il est couvert de sueurs, hurle de terreur. Sa fièvre est très élevée, il se déshydrate et meurt si un traitement médical adapté n'est pas rapidement instauré pour détourner l'orage qui a submergé les synapses de son cortex et de son tronc cérébral.

La lutte contre les drogues s'organise. Mais quel temps perdu, quel chemin à parcourir en sens inverse pour guérir de jeunes cerveaux délabrés par l'assuétude, pour leur apprendre le sevrage et les sauver de l'overdose mortelle !

Demain

Car ne nous y trompons pas : « Nous venons de briser le creuset dans lequel nos mémoires se moulaient. Un cycle s'achève. Un autre se prépare dont on ne distinguera le véritable contenu que dans une vingtaine

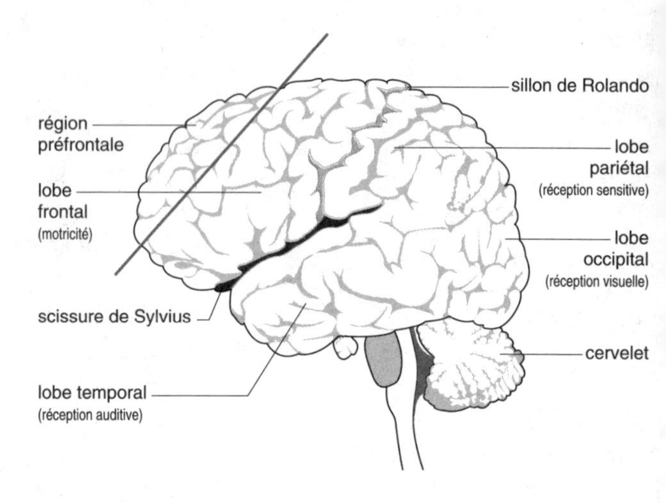

Primauté des aires préfrontales. *La surface de l'écorce des aires préfrontales est le siège de toutes les fonctions intellectuelles supérieures dans l'espèce humaine. Les autres structures du cerveau sont présentes chez les mammifères inférieurs.*

d'années, c'est-à-dire quand les enfants qui naissent aujourd'hui [...] arriveront à l'âge adulte. Gardons-nous cependant de construire l'avenir en y projetant nos propres regrets ou nos propres désirs», déclarait Jean Boissonnat en 1991.

Empruntons un instant la théorie des «ensembles mathématiques», moins omniprésents qu'il y a quelques années, mais utile dans cet exemple particulier : imaginons que le plus grand ensemble considéré est constitué par tout ce qui vit actuellement sur la planète : la biosphère. Dans le premier sous-ensemble figurent près de six milliards d'individus avec leurs cortex, leurs aires préfrontales et les aires de la vallée sylvienne qui ont permis le langage et sous-tendent toute créativité. Le second sous-ensemble, qui contient tout le reste du monde vivant animal ou végétal, est par nature dominé par le premier qui en fera ce qu'il veut. Lorsqu'on se souvient que deux ou trois cerveaux de tyrans fous firent du siècle que nous allons quitter l'un des plus barbares qui fût, on a le droit d'être inquiet.

Psychisme, espèce humaine, société, langue, libertés sont affaires de cerveaux, parfois abandonnés par une famille ou « lavés » par des gourous, détournés, fracturés ou détruits. Pour ce qui est du passé, les assises de l'histoire ont déjà jugé. Pour ce qui est d'aujourd'hui, l'évidence crève les yeux et les procès ne sont pas tous instruits.

Si les « enfants-loups » (littéralement « élevés par des loups ») ne sont plus de ce monde, l'analphabétisme est un fait planétaire. Si les mutilations du cerveau (lobotomies, excisions corticales, ablation d'un hémisphère) n'ont plus cours, la psychopharmacologie si précieuse pour calmer, ressusciter, réparer « chimiquement » des cerveaux défaillants connaît elle aussi des abus dans ses applications, parfois de la part de médecins mal informés, et surtout des patients eux-mêmes lorsqu'ils en viennent à pratiquer une automédication ou à réaliser un suicide en se servant d'elle.

Le cerveau humain doit maîtriser les informations qui le concernent, intégrer son schéma corporel, son vécu affectif, la nature des sentiments profonds qui l'animent et les mécanismes par lesquels il imagine, agit, aime ou déteste. Son contrôle sur le milieu qui l'entoure est à ce prix, si toutefois les circonstances extérieures le lui permettent. Il reste à conquérir de vastes espaces. On évitera de nos jours à ce seul prix d'être largué au bord de la route. Parmi ceux qui savent, bien peu s'arrêtent pour prendre en charge les stoppeurs égarés.

Le statut de cerveau « adulte » est conféré par la loi française à l'âge de dix-huit ans. A dix-huit ans et un jour, le cerveau doit s'être pris lui-même en charge. Facile à dire. L'allongement de la durée des études, parfois désiré par l'intéressé lui-même, retarde l'entrée dans la vie active. Dans la plupart des cas, les lois humaines, dictées par les circonstances sociales, surprennent un cerveau inégalement mûr, dans un corps qui, surtout chez le garçon, n'a pas encore tout à fait achevé de grandir. Réalisons par ailleurs le bond prodigieux de la connaissance scientifique ouvrant à des professions nouvelles mais fermant, et de quelle manière ! l'accès à d'autres plus nombreuses, plus classiques, auxquelles on s'était préparé. Constatons la libération des mœurs dans une société en urbanisation croissante. Le mélange ne pouvait qu'être explosif. Et il l'est. Nous quittons un adolescent prolongé, tout entier tourné vers l'expérience de la vie sur laquelle il module ses sentiments, accroît son contenu mémoriel, affirme ses praxies, fonde ses convictions. Et l'adulte « légal » est là, déjà, à un âge où il devrait produire et créer alors que, dit-on, dès la vingt-cinquième année de son existence des millions de cellules cérébrales s'atrophient et le quittent. Il a dû mémoriser en vingt-cinq ans ce que l'homme a mis des milliers d'années à découvrir.

Heureusement, l'œil mental bien ouvert, le cerveau à maturité apprend encore et se souvient, classe et raisonne logiquement, imagine et crée. La personnalité de ce cerveau « mûr » sera bien à lui et à lui seul, biologiquement, psychologiquement, par la façon dont il juge les gens et les choses qui l'entourent et la force de ses croyances ou de sa foi.

Éduquer, *educare*, c'est « conduire hors de ». L'enfant qui vient au monde et dont le cerveau était génétiquement programmé dès sa conception pour la mise en place de ses structures complexes peut certes avoir déjà connu des incidents de parcours qui l'ont attardé sans que ses proches ne s'en doutent encore. Au contact de sa famille, au contact de tous ceux qui ont pour mission de l'instruire et de lui apprendre la vie, il va rencontrer pendant de longues années des possibilités de rattrapage, voire de dépassement, autant que d'occasions de chutes ou de nouveaux retards. Le cerveau est nécessaire, il n'est pas suffisant.

Avant 1920, alors que l'hôpital de la Charité existait encore à Lyon, on avait utilisé le terme de « stabulation » (techniquement réservé de nos jours à certains développements de l'industrie agroalimentaire), pour évoquer la mise en jauge des nourrissons abandonnés dans les crèches hospitalières, bien nourris certes, mais sans soins complémentaires éclairés, et soumis à des infections transmissibles souvent mortelles.

En 1948, devant la Société française de psychologie, Spitz déclarait : « La privation affective est aussi dangereuse pour le nourrisson que la privation alimentaire. » L'évangéliste l'avait dit deux mille ans plus tôt :

« L'homme ne vit pas seulement de pain. » (Matthieu, IV, 4.)

Par ailleurs, l'enfant agit aussi sur sa mère qui investit dans sa relation avec lui toute sa vie imaginative concernant sa relation avec ses propres parents et y projette le reflet de son équilibre conjugal et / ou sexuel. Instinctivement, l'enfant attend du couple parental affection et sécurité. D'autres que moi l'ont dit ou écrit mieux que je ne saurais le faire : l'œuvre éducatrice première est celle des deux parents associés. L'enfant perçoit très vite divergences ou contradictions. Toute séparation du couple entraînera une anxiété profonde, même si elle est parfois difficile à comprendre et à saisir.

Marie de Maistre écrivait, en 1975 : « Pour que soit préservé le développement harmonieux de chaque personnalité, il faut individualiser le plus possible l'enseignement, ce qui revient à dire que la relation enseignant-enseigné doit se développer non pas sur un mode purement fonctionnel, mais sur un mode de relations humaines. Le maître n'est pas celui qui sait et l'élève celui qui a tout à apprendre. Entre le maître et l'élève, entre les élèves eux-mêmes doit s'exercer la fonction essentielle des relations humaines qui est d'être source de valeur pour autrui. »

Prolongeant la réflexion de Marie de Maistre, les simulations informatiques elles-mêmes sont venues conforter ses idées sur la puissance des phénomènes coopératifs entre individus d'une même espèce, notamment l'altruisme dont on ne voit pas comment il pourrait s'intégrer à la théorie darwinienne classique.

Ces simulations informatiques montrent qu'il vaut mieux être bon que méchant, indulgent que rancunier, réactif qu'insensible. L'intelligence favorise la coopération. Elle constitue donc un avantage sélectif dans un monde biologique, ce qui est contraire à l'idée parfois soutenue que l'apparition de l'intelligence et la complexification (vocable « teilhardien ») des êtres vivants sont purement fortuites.

Depuis plusieurs dizaines de millions d'années, il est un cerveau ancien qui possède des facultés d'éveil, d'attention, de mémoire à court et à long terme, des séquences programmées de recherche et de jeu, qui perçoit les rythmes, la position et la présence du corps et s'alimente en informations par les cinq canaux des organes des sens.

Depuis quelques centaines de milliers d'années, il est un cortex cérébral humain dont on a de bonnes raisons de croire qu'il était alors développé presque tel que nous le connaissons aujourd'hui.

Depuis quelques milliers d'années, ce cerveau sait comment lire et écrire prose ou poésies.

Depuis quelques années, il converse avec des machines qu'il a lui-même inventées.

Mais quelle fragilité dans ses structures,

Quelles craintes véhiculées en son sein par de simples molécules,

Quelle conscience aiguë de son isolement croissant dans un monde peut-être devenu fou.

« Un enfant accroupi, plein de tristesse, lâche
Un bateau frêle comme un papillon de mai. »
Arthur RIMBAUD, *Le Bateau ivre*, 1871.

Annexes

Les médicaments du cerveau

Depuis bien longtemps, les médecins ont distingué les traitements symptomatiques (qui agissent sur la manifestation du mal) et les traitements étiologiques (qui agissent sur la cause du mal). En beaucoup de domaines de la médecine, les premiers sont les seuls utilisés pour la bonne raison qu'on ignore à ce jour le mécanisme du déclenchement du mal lui-même. Il en va de la sorte pour les médicaments du cerveau censés, par exemple, réguler le sommeil, espacer les crises d'épilepsie, réduire une anxiété, stimuler la vigilance, tirer un malade d'un état dépressif plus ou moins grave, mettre fin pour un temps à une agitation dangereuse, à un délire, voire à des hallucinations visuelles ou auditives.

Toutes ou presque toutes ces molécules de synthèse ont en commun d'émailler la vie de ceux qui les consomment d'incidents ou d'accidents liés à leur toxicité si l'on « dépasse la dose prescrite ». Le consommateur connaît bien cette toxicité puisque, malheureusement, les tentatives de suicide ou les suicides accomplis tirent souvent leur source d'un ou plusieurs médicaments absorbés en une seule fois, médicaments qui, pourtant, ne peuvent être délivrés que sur ordonnance, par un médecin généraliste ou un psychiatre. L'automédication n'est pas plus souhaitable que l'arrêt brutal d'un traitement au long cours, qui risque d'entraîner tous les symptômes, parfois difficiles à contrôler, d'un sevrage. Un autre aléa de certains de ces traitements est l'apparition d'une assuétude qui fait du patient un drogué, par exemple avec les barbituriques ou les psychostimulants.

Insomnies et hypnotiques

Sont hypnotiques toutes les substances capables d'induire ou de maintenir le sommeil. A doses croissantes, elles provoquent d'abord une sédation, puis le sommeil, enfin le coma et la mort par défaillance respiratoire, probablement d'origine bulbaire. Elles diminuent l'excitabilité du système nerveux central à tous les niveaux, cortical, thalamique, hypothalamique, limbique, et au niveau de la substance réticulée. Elle renforcent la teneur encéphalique et l'effet synaptique inhibiteur de l'acide gamma-amino-butirique ou GABA (voir p. 85).

L'acide barbiturique fut synthétisé dès 1864 par Adolph von Bayer qui l'aurait nommé ainsi en raison de l'aspect de ses cristaux, semblables à une lyre (*barbitos* en grec). Françoise Goldenberg nous rappelle à cet égard l'histoire de ce baptême de façon un peu moins poétique : « Le chimiste fêta sa découverte dans une taverne fréquentée par des officiers d'artillerie le jour de la Sainte-Barbe, patronne des artilleurs... »

Quoiqu'il en soit, le marché des médicaments contre les insomnies s'est développé depuis quelques années d'une façon telle que les barbituriques, d'action lente et prolongée, sont beaucoup moins prescrits qu'autrefois. En revanche, en anesthésiologie, l'effet quasi immédiat et l'action de courte durée de certains d'entre eux restent appréciés des spécialistes.

Certaines benzodiazépines théoriquement essayées pour réduire l'angoisse se sont révélées être aussi des hypnotiques et sont couramment utilisées dans ce but aujourd'hui. Les phénothiazines et les carbamates en complètent l'impressionnante panoplie.

La limite n'est pas toujours facile à établir entre l'usage abusif sous forme d'automédication ou l'utilisation dans le cadre d'une toxicomanie. Seule est réclamée une ordonnance médicale permettant d'obtenir la molécule d'hypnotique à doses raisonnables, non standardisées car adaptées par le médecin au cas par cas.

L'insomnie n'est pas une maladie en soi, mais un symptôme qui doit être analysé en fonction d'un contexte global.

Dépression et antidépresseurs

Si le traitement de l'angoisse par les tranquillisants est à la mode dans notre pays, il en va de même pour la « déprime ». Ce terme est quelque peu galvaudé, car il existe des degrés très différents dans les états dépressifs, de la dépression réactionnelle à un deuil ou à une catastrophe (on peut espérer qu'elle ne durera pas au-delà de quelques semaines) à la « tristesse pathologique » et à l'état dépressif chronique qui nécessitent une véritable mobilisation thérapeutique « anti-suicide ». Le chef de file des médicaments anti-suicide est l'imipramine, qui a donné naissance à de nombreux dérivés de la molécule primitive.

Une autre série, comparable par ses effets et ses indications, est celle des inhibiteurs de la mono-amine-oxydase (les IMAO). Mono-amines est un vocable synonyme de celui de neurotransmetteurs (voir pp. 83 à 85) tels que la dopamine, la sérotonine et la noradrénaline. Normalement, la fente synaptique doit être rapidement « nettoyée » de ces molécules par une enzyme, l'oxydase. Les IMAO inhibent cette enzyme et évitent le catabolisme trop rapide des neurotransmetteurs en question. D'autres médicaments antidépresseurs empêchent la recapture des neurotransmetteurs (voir schéma p. 83). Si les modes d'action sont différents, le but est le même : rétablir une humeur (une thymie, comme on le dit parfois) normale, une désinhibition ou une stimulation psychomotrice favorisant l'éveil et le dynamisme, et parfois obtenir un bon résultat sur l'une des composantes de la dépression (l'anxiété par exemple, lorsqu'elle lui est associée dans les états dits anxio-dépressifs).

Le psychiatre respecte les contre-indications, qui varient selon l'antidépresseur choisi, ce choix étant évidemment celui de la molécule la mieux adaptée à l'objectif, et décide si le traitement nécessite ou non une hospitalisation en milieu spécialisé.

Anxiété et anxiolytiques

Un verbe grec, *agkein*, qui signifie « serrer », a donné naissance aux termes français anxiété, angoisse, angine, relayé par le latin *angere*, « oppresser », « serrer la gorge ». La pharmacopée d'autrefois, jusqu'à notre siècle, comprenait ce qu'on dénommait alors les sédatifs, empruntés aux vertus de certaines plantes. Jean de La Fontaine mit dans une fable l'ellébore en vedette. De nombreuses préparations sédatives, usitées encore de nos jours, sont un mélange de *crataegus*, de passiflore, de valériane et de belladone à doses faibles (car l'alcaloïde de cette dernière, l'atropine, est un toxique redouté des synapses). En 1957, Randall découvre qu'une molécule relativement simple, la benzodiazépine, est un tranquillisant à effet quasiment immédiat. La molécule originelle (dont beaucoup d'autres sont dérivées avec conservation toutefois de leur structure générale) provoqua une véritable révolution dans le traitement de l'anxiété. Les rapports et sondages diligentés par le ministère de la Santé et les organismes sociaux français ont révélé des chiffres et pourcentages étonnants : 11 % des Français et 22 % des Françaises se déclarent anxieux. Dans les années 80, la France détenait la palme mondiale de la consommation des tranquillisants. Ces molécules représentaient, pour les caisses d'assurance maladie, 5,5 % de la dépense générale en produits pharmaceutiques.

Certains tranquillisants possèdent en plus des propriétés hypnotiques, myo-relaxantes et anti-convulsivantes. Mais ces pouvoirs particuliers sont relativement mineurs au regard des propriétés tranquillisantes qui libèrent les angoissés de leurs angoisses (névroses d'angoisse, anxiété réactionnelle au trac ou à la peur, attaques de panique...). La pharmacopée galopante a mis à la disposition des patients de nombreux médicaments dont la liste n'est pas close. Le neurotransmetteur qui dit non, le GABA (voir p. 85), dispose sans cesse de nouveaux alliés.

Asthénie psychique : psychostimulants

Ces médicaments sont reconnus pour être efficaces et puissants :

ils stimulent l'activité mentale et intellectuelle, augmentent la vigilance, aiguisent les perceptions sensorielles. Les « vrais » psychostimulants, tout au moins, car il existe sur le marché quantité de « psychotoniques », généralement non remboursés par la Sécurité sociale, ou remboursés pour partie. Ils contiennent souvent du phosphore, du calcium ou des alcaloïdes d'origine végétale (noix vomique dont on extrait la strychnine), du ginseng, de la caféine, etc. Les psychostimulants authentiques sont des médicaments majeurs délivrés seulement sur ordonnance médicale.

Harting et Munch en firent la première synthèse dès 1931. Le nom choisi pour cette nouvelle molécule fut la benzédrine. Elle reste encore de nos jours le chef de file de toute une classe de médicaments dérivés, dont les amphétamines, véritables « amines de l'éveil ». Les psychostimulants activent les voies adrénergiques (voir p. 84) avec libération massive dans leurs synapses d'adrénaline et de dopamine. On comprend bien de ce fait les signes d'intoxication qui surviennent en cas de surdosage : tachycardie, hypertension artérielle, insomnies, agitation, agressivité, perte de l'appétit (anorexie). Les risques de toxicomanie chronique sont élevés. Le sevrage est délicat, d'autant plus que ces patients sont souvent des polytoxicomanes (prise d'alcool, de tranquillisants ou d'hypnotiques). Les consommateurs d'amphétamines se trouvèrent tout d'abord dans les milieux intellectuels, puis parmi les étudiants lors des examens de fin d'année, les chauffeurs routiers (on « gagne » une nuit sans sommeil) et les obèses qui mirent à profit les propriétés de coupe-faim de la molécule. En ce qui concerne le dopage des sportifs, la liste des substances interdites, décelables dans les urines, établie par le Comité international olympique, s'est beaucoup allongée. Les amphétamines y figurent en bonne place.

Psychoses : neuroleptiques

Le terme de cette classe de molécules fut créé par Delay et Denicker (en grec, neuroleptique signifie « qui saisit les nerfs »).

La découverte, qui date de 1950, est française : deux chimistes, Charpantier et Courvoisier, synthétisent la chlorpromazine dans les laboratoires de Rhône-Poulenc. Sa première utilisation était liée, en adjonction aux anesthésiques, à ses effets de « potentialisateur » de ceux-ci. Henri Laborit, alors qu'il était physiologiste au Val-de-Grâce, confirma cette action originale et laissa, dès 1952, entrevoir son usage possible dans le traitement à long terme des psychoses chroniques. Les descendants par synthèse de la chlorpromazine sont nombreux. De plus, d'autres molécules, d'une structure différente mais d'effets cliniques voisins (butyrophénone, benzamides) sont venues renforcer un arsenal thérapeutique bien fourni.

En réalité, les neuroleptiques ont une action triple. Ce sont avant tout des sédatifs puissants (leurs détracteurs, dans les années 50 et 60, les surnommaient les camisoles chimiques). En urgence psychiatrique, les états d'excitation et d'agitation (turbulence de l'état confusionnel, expansivité maniaque, bouffée délirante aiguë) sont calmés. Leur deuxième effet est d'être des « désinhibiteurs » : les patients souffrant d'inertie, de passivité, parfois même de mutisme, reprennent contact avec le monde extérieur (possibilité de dialogue, d'une reprise de l'activité manuelle). Ils ont enfin un effet anti-psychotique, notamment sur les hallucinations et les idées délirantes. Tout n'est pas connu sur leur impact cérébral, mais leur implication avec les voies dopaminergiques a été largement démontrée. La nécessité d'un traitement très prolongé, les dangers de certaines associations médicamenteuses, l'apparition de signes neurologiques qualifiés de parkinsonisme thérapeutique demandent le contrôle d'un psychiatre tant pour les soins rendus possibles « en ambulatoire » qu'en cas d'hospitalisation nécessaire, voire d'enfermement.

Le lithium n'est pas un neuroleptique. On le baptise, faute de mieux, « thymorégulateur ». Il est indiqué comme traitement au long cours dans la psychose maniaco-dépressive qui est la seule indication (voir pp. 85-86).

« Les neuroleptiques sont des médicaments irremplaçables, mais ils ne remplacent ni l'écoute, ni la relation, ni le travail psychologique, ni les mesures de réinsertion sociale. Ils les favorisent et c'est considérable [...]. Ils ont des actions purement symptomatiques [...]. On saura peut-être un jour *comment* on devient agité ou même délirant ; on n'aura pas pour autant expliqué *pourquoi* on le devient. » Édouard Zarifian.

Glossaire

Adrénaline : molécule sécrétée par la glande surrénale et par les neurones du système sympathique. Sous une forme très voisine chimiquement, la noradrénaline est l'un des principaux neurotransmetteurs (voir ce terme).
Ampoule neurale : extrémité antérieure du tube neural dès qu'il est fermé chez l'embryon. Sa poussée vers l'avant crée ensuite les structures contenues dans la boîte crânienne. La poussée avec la multiplication et la migration des neurones est surtout marquée chez les vertébrés supérieurs.
Anoxie : privation d'oxygène.
Artère carotide : les deux artères carotides droite et gauche en avant et les deux artères vertébrales à l'arrière sont issues de la crosse de l'aorte et fournissent sa vascularisation à l'ensemble de l'encéphale.
Axone : partie du neurone qui conduit l'influx nerveux et les molécules de neurotransmetteurs (voir ce terme) depuis le corps du neurone jusqu'à la fente de la synapse (voir ce terme).

Bulbe rachidien ou bulbe : partie du système nerveux située au-dessus de la moelle épinière; elle contient, entre autres, les centres vitaux (rythmes respiratoire et cardiaque).

Cervelet : partie du système nerveux contenue dans la boîte crânienne, en arrière et en bas de celle-ci, reliée par des pédoncules à la moelle épinière, au bulbe et au cerveau qui la recouvre plus ou moins selon son développement.
Cingula : terme anatomique tiré du latin, petite «ceinture»; la

circonvolution cingulaire ceinture à proprement parler le système limbique.
Cortex cérébral (ou écorce cérébrale) : substance grise, faite de l'ensemble des corps des neurones les plus évolués dans l'échelle des espèces. Elle recouvre les autres « couches » du cerveau. Elle n'est pleinement constituée que chez les mammifères.

Diencéphale : situé dans la partie moyenne de l'encéphale chez tous les vertébrés au-delà du bulbe et des pédoncules, sous les hémisphères cérébraux. Il contient de haut en bas l'épiphyse, le thalamus et l'hypothalamus.

Épiphyse ou glande pinéale : glande endocrine sécrétant une hormone, la mélatonine, qui règle les rythmes biologiques, comme une horloge, en fonction de l'éclairement.

Fontanelle : espaces de la voûte crânienne qui ne sont pas ossifiés à la naissance, permettant à l'encéphale du nourrisson et du jeune enfant de se développer sans entrave.
Formation réticulée : longue colonne de neurones en réseau, située au cœur du système nerveux central depuis le bulbe jusqu'au diencéphale. Règle en particulier l'éveil et l'attention, facilite l'apprentissage et la vigilance.

Glucose : sucre directement utilisé par la cellule animale qui tire de lui son énergie calorique sans transformation préalable. La baisse de son taux dans le sang (hypoglycémie) peut entraîner, si elle se prolonge, de graves lésions du cerveau.

Hippocampe : partie du lobe temporal du cerveau relativement primitif mais corticalisé, qui est un lieu de passage obligé des informations à mettre en mémoire. Les traces « mnésiques » y sont stockées et consolidées.
Hypophyse (ou glande pituitaire) : glande endocrine reposant sous le cerveau dans une cavité de la base du crâne dite « selle turcique ». Toute sa partie postérieure est directement reliée à l'hypothalamus par des nerfs et des veines, d'où l'appellation d' « appareil hypothalamo-hypophysaire ».

Hypothalamus : partie du diencéphale contenant des « noyaux » de neurones chargés de régler les comportements de faim, de soif, d'équilibre thermique, et le cycle sexuel.

Insula : le cortex de cette région du cerveau enfouie dans la vallée sylvienne (ou scissure de Sylvius, voir schéma p. 98) est responsable de la perception du goût.

Isotope : élément dont les atomes ont le même nombre d'électrons et de protons que l'élément « naturel ». Ils ne diffèrent que par le nombre de neutrons de leurs noyaux. Leur usage en laboratoire en a fait des « marqueurs », des « traceurs », repérables par leurs propriétés radioactives. Un exemple d'isotope bien connu est celui du ^{14}C (carbone 14) qui s'oppose au carbone naturel(^{13}C).

Liquide céphalo-rachidien : nulle part le système nerveux central n'est en contact direct avec les os qui l'entourent (crâne et vertèbres). Il en est séparé par les enveloppes méningées dont l'une est le lieu de circulation de ce liquide.

Mésencéphale : le cerveau « du milieu », situé anatomiquement entre le bulbe, en deçà, et le prosencéphale, au-delà. Formation très ancienne, il est représenté chez les mammifères par les « pédoncules » cérébraux.

Moelle épinière : partie la plus primitive du système nerveux central. Elle est « hors encéphale ». Elle s'étend, au sein du canal vertébral, entre la deuxième vertèbre lombaire et son entrée dans le crâne, au niveau du trou occipital.

Neuroblastes (primitifs) : il s'agit de cellules qui forment, les premières, l'enveloppe du tube neural. De cette première assise cellulaire, par divisions successives, vont naître les neurones, lesquels, dès leur naissance, gagnent par migration l'emplacement qui est le leur et se différencient selon des fonctions qui leur sont propres.

Neuropeptides : molécules plus lourdes que les neurotransmetteurs, formées d'un enchaînement de plusieurs acides aminés. Les mieux connus sont les endorphines sécrétées par le cerveau lui-même pour élever le seuil de tolérancede la douleur. On les trouve dans certains noyaux de l'hypothalamus et, à doses infimes, dans le sang circulant. Les encéphalines sont des neuropeptides isolés dans le système limbique notamment, et dans certains noyaux du bulbe et de l'hypothalamus.

Neurotransmetteurs : dans l'immense majorité des cas, la terminaison d'un axone n'est pas directement en contact avec un autre neurone. Entre eux deux existe une fente synaptique (ou synapse) emplie par un ou au maximum deux types de molécules éjectées lors de l'influx nerveux par le neurone d'amont. Ces molécules (noradrénaline, acétylcholine, dopamine, sérotonine, acide gamma-amino-butyrique ou gaba, notamment) sont dites « neurotransmettrices ».

Névroglie : les neurones du cerveau sont entourés de cellules dites névrogliques qui ont des fonctions nourricières et de soutien. On distingue notamment les oligodendrocytes, qui synthétisent la myéline ou substance blanche, et les astrocytes en liaison avec le courant sanguin.

Nœud vital : vieille expression, non utilisée de nos jours, qui désigne les fonctions vitales du bulbe.

Noyaux amygdaliens ou amygdales : groupement de neurones faisant partie du système limbique. Ce nom leur vient du terme *amugdalê* dérivé du grec signifiant « petite amande ».

Noyaux caudés : amas de cellules grises situées au sein des hémisphères et au contact des corps dits « striés ». Ces cellules assurent, avec d'autres cellules voisines, la finesse et le contrôle des mouvements volontaires. Leur destruction est une cause des mouvements anormaux, symptôme essentiel de la chorée de Huntington (du grec *khorein*, « danser »).

Noyaux rouges : formations de corps neuronaux situés dans les pédoncules cérébraux, qui jouent un rôle dans le tonus musculaire et aident au contrôle des mouvements volontaires.

Pédoncules : se dit des faisceaux d'axones regroupés venus de milliards de neurones qui unissent certains étages du système nerveux central (par exemple les pédoncules cérébelleux, inférieurs, moyens, supérieurs qui relient respectivement cervelet et moelle, cervelet et protubérance, cervelet et cerveau).

Petites « mamelles » (en latin *mamilla*) : amas de corps neuronaux, partie du système limbique, dont la destruction entraîne des troubles graves du comportement.
Pression osmotique : la salinité différente à l'intérieur de cellules voisines les unes des autres provoque un flux passif d'ions de chlore ou de sodium ou une pénétration d'eau à travers les membranes cellulaires, sans l'apport d'énergie extérieure.
Protubérance (dite encore protubérance annulaire ou pont de Varole) : formation de passage entre pédoncules cérébraux, cervelet et bulbe, faisant une saillie à l'avant du bulbe, d'où son nom.

Rhinencéphale : partie la plus ancienne du cerveau, située à l'avant, chargée d'analyser les odeurs perçues par les neurones olfactifs.
RMN : abréviation de résonance magnétique nucléaire ; procédé physique faisant appel à des champs magnétiques puissants pour réaliser encore plus précisément que le scanner des images de la structure des formations anatomiques que l'on veut étudier.

Septum ou région septale : partie la plus antérieure du système limbique. Ses neurones appartiennent au « circuit de Papez ». Chez l'animal, son excitation entraîne des réactions de plaisir (sans qu'elles soient forcément de traduction sexuelle). Sa destruction, au contraire, entraîne des « comportements de rage ».
Sillon neural : chez l'embryon humain, au dix-huitième jour, apparaît dans la région dorsale du cerveau un sillon d'arrière en avant. Ce sillon se transformera en tube neural au vingt-huitième jour, source de tous les futurs neuroblastes.
Substance noire (ou *substantia nigra*) : amas de cellules neuronales qui produisent de la dopamine, bien visibles sur les coupes car riches en mélanine (*melanos*, « noir »). Leur disparition progressive dans un cerveau humain entraîne l'apparition des signes de la maladie de Parkinson.
Synapse ou fente synaptique : espace très mince séparant le neurone d'amont du neurone d'aval. Les molécules de neurotransmetteurs y sont déversées dès l'arrivée d'un influx nerveux.

Thalamus : formation centrale du diencéphale. Ses neurones forment des amas très regroupés qui reçoivent de la périphérie toutes les impressions sensitives et sensorielles. Il adresse au cortex ces impressions qu'il peut moduler.
Tronc cérébral ou tige cérébrale (en anglais, *stem*) : comprend le bulbe, la protubérance, les pédoncules cérébraux.
Tube neural : chez l'embryon, formation obtenue après la fermeture du sillon neural. L'événement de la neurulation (ou fermeture du tube neural) est terminé au vingt-huitième jour après la conception d'un embryon humain.

Bibliographie

CHANGEUX, J.-P., *L'Homme neuronal*, Fayard, 1983.
ECCLES, J.-C., *Évolution du cerveau et création de la conscience*, Fayard, 1992.
EDELMAN, G. M., *Biologie de la conscience*, Odile Jacob, 1992.
HERBINET, E., BUSNEL, M.-C., *L'Aube des sens*, *in* « Les Cahiers du nouveau-né », n° 5, Stock, 1991.
KOUPERNIK, C., PONS, M., *La Psychiatrie à visage ouvert*, Mercure de France, 1979.
LIEURY, A., *La Mémoire, du cerveau à l'école*, coll. « Dominos », Flammarion, 1993.
MAISTRE, M. de, *Les Capacités de l'enfant en grande section maternelle ou à l'entrée au cours préparatoire*, Éditions universitaires, 1979.
RESTAK, R., *Le Cerveau de l'enfant*, Robert Laffont, 1988.
ROBERT, J.-M., *Comprendre notre cerveau*, Le Seuil, 1982.
SACKS, O., *L'Éveil*, paru précédemment sous le titre *Cinquante ans de sommeil*, coll. « Points », Le Seuil, 1993.
ZARIFIAN, É., *Des paradis plein la tête*, Odile Jacob, 1994.

Références des ouvrages cités et des citations

P. 8 : Shakespeare, *Hamlet*, acte V, scène 1.
P. 33-34 : Schott, B., *in* Préface de *Mémoire et Insomnies*, p. V, Masson, 1988.
P. 45 : Brillat-Savarin, *Physiologie du goût*, Charpentier, Paris, 1841.
P. 48-49 : Bullier, J., Salin, P., Girard, P., *La Recherche*, n° 246, p. 980, 1992.

P. 77-78 : Huntington, G., *in* «*The Medical and Surgery Reporter*», Philadelphie, 1872.
P. 87 : Zarifian, É., *Des paradis plein la tête*, Odile Jacob, 1994.
P. 90 : Koupernik, C., Pons, M., *La Psychiatrie à visage ouvert*, Mercure de France, 1979.
P. 93-94 : Levi-Strauss, C., *Le Monde*, 1991.
P. 97 -98 : Boissonnat, J., *La Croix*, 1991.
P. 102 : Évangile selon saint Matthieu, IV, 4.
P. 102 : Maistre, M. de, *Les Capacités de l'enfant en grande section maternelle ou à l'entrée au cours préparatoire*, Éditions universitaires, 1979.
P. 105 : Rimbaud, A., *Le Bateau ivre*, 1871.
P. 109: Goldenberg, F., *Encyclopædia Universalis*, 1990, tome 11, p. 844.
P. 114: Zarifian, É, *Des paradis plein la tête*, Odile Jacob, 1994

Index

Dans la même collection

n° 1 - *L'Espace pour l'homme* de Pierre Léna
n° 2 - *La Mémoire, du cerveau à l'école* d'Alain Lieury
n° 3 - *Politiques agricoles* de Lucien Bourgeois
n° 4 - *L'Intelligence artificielle* de Jean-Gabriel Ganascia
n° 5 - *L'Insomnie* de Jean-Michel Gaillard
n° 6 - *Vivre avec les insectes* de Pierre Ferron
n° 7 - *Le Moyen-Orient* de Georges Corm
n° 8 - *L'Explosion démographique* d'Albert Jacquard
n° 9 - *La Procréation médicalisée* de Jacques Testart
n° 10 - *La Relativité* de Nayla Farouki
n° 11 - *École et Tiers Monde* de Sylvain Lourié
n° 12 - *Système Terre* d'Ichtiaque Rasool
n° 13 - *Sous l'atome les particules* d'Étienne Klein
n° 14 - *La Bande dessinée* de Benoît Peeters
n° 15 - *La Bioéthique* de Jean Bernard
n° 16 - *Nourrir les hommes* de Louis Malassis
n° 17 - *Apprendre de 0 à 4 ans* de Pierre-Marie Baudonnière et Claudine Teyssèdre
n° 18 - *Les Prisons* de Jean Favard
n° 19 - *Les Greffes d'organes* de Laurent Degos
n° 20 - *La Chine* de Lucien Bianco
n° 21 - *Le Système solaire* de Thérèse Encrenaz
n° 22 - *Les Marchés financiers* de Jean Saint-Geours
n° 23 - *La Vie dans le Cosmos* de François Raulin
n° 24 - *La Forêt* d'Yves Birot et Jean-François Lacaze
n° 25 - *Quelles régions pour l'Europe ?* de Jean Labasse
n° 26 - *L'Afrique noire* de Thérèse Pujolle
n° 27 - *Allemagne* d'Alfred Grosser et Hélène Miard-Delacroix
n° 28 - *Le Climat de la Terre* de Robert Sadourny
n° 29 - *La Mort dans les religions d'Asie* de Bernard Faure
n° 30 - *L'État et le Politique* d'Odon Vallet
n° 31 - *Le Cerveau* de Jacques-Michel Robert
n° 32 - *Les Réalités virtuelles* de Claude Cadoz
n° 33 - *Les Océans* de Jean-François Minster
n° 34 - *La Pollution atmosphérique* de Gérard Mouvier
n° 35 - *Les Balkans* de Paul Garde
n° 36 - *Crimes et Lois* de Jean de Maillard
n° 37 - *Les Hommes et leurs gènes* d'Albert Jacquard
n° 38 - *La Peau et son vieillissement* de Philippe Franceschini
n° 39 - *La Douleur* de Marc Schwob
n° 40 - *Le Sida* de Raymond Daudel et Luc Montagnier

Ont collaboré à l'ouvrage :

Édition : Catherine Cornu
Conception graphique et mise en pages : Daniel Leprince
Recherche iconographique : Marie-France Naslednikov
Corrections : Jacqueline Ménanteau, Maurice Poulet
et Catherine Houchot

Cul de lampe (p. 105) : planche extraite de l'Atlas d'Orbigny, 1869, gravée par Fournier, aquarellée par Blanchard ;
ph. © Coll. ES / Explorer Archives.
Photo de couverture : cervelet humain ;
ph. © Manfred Kage / SPL / Cosmos.

Achevé d'imprimer en octobre 1995
sur les presses de
l'Imprimerie Hérissey à Évreux
N° d'éditeur : 16531
N° d'imprimeur : 70966
Dépôt légal : juin 1994